Bert Jäger

BERT JÄGER

Werke auf Papier 1961-1998

STAATLICHE
KUNSTHALLE
KARLSRUHE

Ausstellung vom 17. Februar bis 6. Mai 2001

Impressum

Herausgeber: Staatliche Kunsthalle Karlsruhe

Ausstellung und Katalog: Gert Reising

Fotos: Ellen Frank, Staatliche Kunsthalle Karlsruhe; Rüdiger Buhl, Madeleine Hager, Hans Peter Vieser, Dieter Weber, Rudi Wolpert, alle Freiburg i. Br.; Michael Jensch, Bornheim

Umschlag:
Kat. Nr. 34, Ausschnitt

Gestaltung:
Ute Renner

Gesamtherstellung: Engelhardt & Bauer Verlagsgesellschaft, Karlsruhe

Karlsruhe 2001

ISBN: 3-925212-48-5 (Museumsausgabe)

1. Auflage 2001
modo Verlag Freiburg i. Br.
ISBN 3-922675-73-5 (Verlagsausgabe)

Der Druck wurde gefördert dank der Unterstützung der badischen Volksbanken und Raiffeisenbanken

www.bert-jaeger.de

Inhalt

Vorwort

Bert Jäger ist fast ein Unbekannter, sein künstlerisches Werk ist nur einem kleineren Kreis von Weggefährten und Freunden vertraut. Seit er 1987 wiederentdeckt wurde, konnte man seine Arbeiten in Ausstellungen sehen, es wurden auch Kataloge veröffentlicht, aber doch konzentrierte sich seine Wirkung vornehmlich auf den Freiburger Raum. Dies mag auch damit zusammenhängen, dass sich der Künstler vom Kunstbetrieb fernhielt und abwechselnd die Zurückgezogenheit seines Ateliers in Freiburg und Ligurien suchte. In den letzten Jahren entstand hier bis zu seinem Tod im Jahre 1998 ein qualitätsvolles malerisches und zeichnerisches Werk.

Mit Bert Jäger würdigen wir einen Künstler, dessen Arbeit Zeiten des Innehaltens ebenso kannte wie die des Voranschreitens. So mündet der wachsende künstlerische Erfolg seit Mitte der sechziger Jahre zu Beginn des folgenden Jahrzehnts in eine Verweigerung gegenüber dem Kunstbetrieb ein. Das hatte private Gründe und darüber berichtete er nur Wenigen. Aber als er damals seinen künstlerischen Ausdruck gefunden hatte, war er auf der Höhe der Zeit, nannte Emilio Vedova ebenso einen Freund wie den anspruchsvollen, aktiven Vorsitzenden des Freiburger Kunstvereins, Siegfried Bröse. Er hatte einige Sammler, von denen ihm in besonderer Weise Rudi Wolpert, der heutige Nachlassverwalter, bis zu seinem Tode in Treue verbunden blieb.

Bert Jäger hat die Kunst der skripturalen Vergewisserung der Zeichen mit Peter Brüning, mit Horst Antes und Walter Stöhrer entwickelt, darüber hinaus wusste er um sein eigenes Vermögen, aus seiner Hand heraus gestisch zu werden. Dies war das Ergebnis seiner eigenen Befreiung, hatte er doch im Dritten Reich an der Karlsruher Kunstakademie klassisch malen gelernt. So wurde er unverwechselbar inmitten der erheblich Jüngeren, mit seinen Erfahrungen von Krieg und Zerstörung und seiner bewusst europäischen Gesinnung. Er kannte Paris; vor allem aber hatte Italien es ihm angetan, er sprach bald fließend auch diese Sprache und lebte in diesem klassischen Land deutscher Sehnsucht.

Die Kraft seiner Kunst ließ ihn die Leiden seines Körpers vergessen; sie entwickelte einen Grad an Kommunikation, die viele seiner Arbeiten auch heute so lebendig erscheinen lässt. Seine Bilder sind fest gebaute Gestalten, die dem amerikanischen Abstrakten Expressionismus ebenso kanonisch gegenüberstehen wie sie in ihrer Gestalt seine Person verkörpern.

Für die Ausstellung haben wir uns bewusst auf die Arbeiten auf Papier konzentriert, denn hier spürt man auf besonders eindrucksvolle Weise die Unmittelbarkeit seiner Erfindungen, die Feinheit seiner Geflechte und die kraftvolle Dynamik seiner Figurationen. Ihre farbliche Präsenz und der fließende Zeichenduktus machen sie zudem zu Wahlverwandten seiner Malereien, von denen wir mit "Garlaban" aus dem Jahre 1964 in unserer Sammlung ein besonders wichtiges Beispiel besitzen.

Ohne die Bereitschaft der Leihgeber, sich für die Dauer der Ausstellung von zahlreichen Kunstwerken zu trennen, hätte diese durchaus strahlende Präsentation der zeichnerischen Arbeiten von Bert Jäger nicht gelingen können. Dafür möchten wir herzlich danksagen. Das Engagement von Herrn Rudi Wolpert verdient eine besondere Würdigung, denn als Nachlassverwalter stand er uns während der Vorbereitungszeit bei der Vermittlung der Sammler und anderen Aufgaben in größter Hilfsbereitschaft zur Seite. In gleicher Weise richtet sich unser Dank an Frau Gisela Geffers, der Lebensgefährtin des Künstlers, die der Ausstellung ohne Vorbehalte zugestimmt hat.

Ausstellung und Katalog lagen in der Hand von Herrn Dr. Gert Reising, der mit der ihm eigenen Begeisterung sich für das Projekt eingesetzt hat, wofür ich ihm meine Anerkennung aussprechen möchte. Der Direktor des Museums für Neue Kunst in Freiburg, Dr. Jochen Ludwig, hat mit dazu beigetragen, dass das Werk von Bert Jäger nach 1987 erneut Beachtung in der Kunstöffentlichkeit finden konnte. Für seinen Katalogbeitrag sind wir ihm zu großem Dank verpflichtet. Die meisten Abbildungen für den Katalog wurden von Frau Ellen Frank, Fotografin der Staatlichen Kunsthalle, neu aufgenommen. Dafür gilt ihr unser Dank ebenso wie Herrn Ulrich Thiesies und Herrn Dieter Peter, in deren Händen die restauratorische Bearbeitung der Papierarbeiten lag.

Die Ausstellung möchte dazu beitragen, dass die Kunst von Bert Jäger auch über Baden hinaus Anerkennung gewinnt. Herr Dr. Gert Reising konnte noch zu Lebzeiten des Künstlers mehrere Gespräche mit Bert Jäger führen. Die nähere Kenntnis des biographischen Hintergrundes haben nun in Form einer authentischen Lebensgeschichte Eingang in diesen Katalog gefunden. Für diese verantwortungsvolle Niederschrift möchte ich dem Autor meinen Dank aussprechen.

Klaus Schrenk

Geschichte gegen Geschichten geschichtet.

Spurensuche zu einer fast unbekannten Biographie[1]

I

Bert Jäger wurde am 11. Januar 1919 als Sohn eines Verwaltungsbeamten in Karlsruhe geboren, der unter anderem auch als Sekretär an der Akademie gearbeitet hatte. Die Familie wohnte in der Nordoststadt in der Lachnerstraße. Bert ging zunächst auf die Karl Wilhelm-Schule, dann zur Schiller-Schule, später in das Goethe-Gymnasium. Er war ein schlechter Schüler, selbst im Zeichnen (bei einem Herrn Rinkel), und er ist ohne Abschluß von der Schule geschieden. Aufgrund der Beziehungen zum ehemaligen Professor für Innenarchitektur, Dr. van Taack,[2] wurde er an die Badische Hochschule der bildenden Künste empfohlen, um dort Bühnenbild zu studieren. „Dies war der Ausdruck einer Alternative für die Schule, nicht aber willentlich gezielt."[3]

Ein Kind der toten Revolution von 1918/19, stand er immer auf der richtigen Seite, und das schien die falsche. Außenseiter war und blieb er, so bürgerlich der Sohn eines Verwaltungsbeamten sein sollte, und für seinen Eigensinn, die Selbständigkeit, wurde er lebenslänglich bestraft, das aber nahm er frei in Kauf. Den baldigen Abgang von der Schule möchte man als pubertäres Irren abtun, aber der Wechsel an die Akademie war nichts als eine überwachte Flucht, das Glück, ohne Abitur und mit Protektion dem eigenen Willen wenigstens ein wenig nachzugehen.

Das war 1934 aber auch schon alles, denn zur Konkurrenz mit den älteren Eleven kam der Widerwille gegen die legalen Ursupatoren, die seit der politischen Gleichschaltung der Akademie mit der NSDAP in der „feinpinselig verlogenen" Rückkehr zum Realismus Hans Thomas malten, da es diesen Schlechten kaum möglich war, künstlerisch zu reüssieren. Es stieg der Trotz des Fünfzehnjährigen, es wuchsen die Konflikte, doch auch die Kraft zur Selbständigkeit mit der Beobachtung, wie diese Kunstpolitiker Christoph Voll, den vormals veristischen Bildhauer, nach und nach fertigmachten, nachdem sie Karl Hubbuch, Wilhelm Schnarrenberger, Georg Scholz aus der Akademie „entfernt" hatten. Sie waren nun Einsame, er blieb einsam, auch wachsam bei dem „Breitpinseler" Hermann Goebel, dessen Faible für Frankreich den Faschisten genug Feindbild war, da er Informationen von Außen in diese Isolierstation weitergab. 1933 wurde die Akademie durch Hans Adolf Bühler dem Nationalsozialismus angepaßt. So mußte er 1934 zunächst zu Georg Siebert, dem Leiter der Zeichenklasse und Maler volkstümelnder Szenen, die der „nationalsozialistischen Ideologie entgegenkamen."[4] Aber „er war die Tür, durch die man hindurch mußte."[5]
Dort gefiel es dem Fünfzehnjährigen aus künstlerischen Gründen nicht, und er ist immer ausgewitscht, bei dem ebenfalls dank des Nationalsozialismus als Professor für Bildhauerei an die Akademie berufenen Otto Schliessler flog er einmal auch raus.[6] So studierte er dann von 1936 bis 1939 bei Hermann Goebel, Professor seit 1920 und 1933 zum Klassenlehrer zurückgestuft, später jedoch als Meisterlehrer rehabilitiert. "Goebels Malerei war mir sehr nahe."[7] Zugleich lernte er bei dem seit den zwanziger Jahren der Hitler-Bewegung beigetretenen Siegfried Czerny, der durch Bühler an die Akademie geholt worden war, altmeisterliche Maltechnik, kopierte in der Badischen Kunsthalle Feuerbachs Nana Risi; dies war obligatorisch. Mit ihm bekam er wegen Nichtigkeiten Krach und Czerny hat sich öfter darüber beschwert, daß Jäger ihn nicht grüßte. "Ich habe sehr früh über die Bescheid gewußt, die völlig abgeschnitten waren, denn die moderne Kunst hatte es ja gegeben, bevor ich geboren war. Und die Bibliothek in der Akademie war noch nicht gefilzt. Goebel hat mir dabei geholfen, so weit es ging."[8] Auch bei Christoph Voll, dem ehedem sozialkritischen Bildhauer im Dixschen Kunstkreis in Dresden und seit 1928 Professor in Karlsruhe, hat er, freilich nur ein einziges Mal, Abendakt gehabt. Zudem hat er den vereinsamten Voll mehrmals im leeren „Atlantik"-Kino gesehen. Jäger bemerkte, wie dieser von den nationalsozialistischen Studenten um Theo Sand und seinen Kameraden regelrecht fertiggemacht wurde.

Hat Bert Jäger damals gemalt, was beachtenswert wäre? Wer tat das damals? Aber es sind Lehrstücke, die ihn in Erwartung einer Zukunft zeigen. Es gibt durchaus Übungen, die ihm lästige Pflicht bei Georg Sieberts Blut und Boden-Malerei waren, das akademische Allerlei, durch das er hindurch mußte, es gab aber auch Zeichnungen, die ihn Volls Frühwerk, Hubbuchs Klasse nahe zeigen, expressive Gesichter und Gestalten, über die er bübisch schwieg, als ich sie ihm zeigte; und er schwieg weiter, außer, ein anderes Mal, zu erwähnen, daß er mit Volls moralischer Stütze, Guta von Freydorf, gut stand, dessen Werk selbstredend kannte.

Er befreundete sich mit dem Sohn des Juden Vogel – die Familie mußte 1936 emigrieren – danach besuchte er mit einem Schulkameraden dessen Onkel Alfred Mombert[9] in Heidelberg. 1937 sieht er die Ausstellung „Entartete Kunst" in München, die großen Eindruck auf ihn machte. 1939 wurde er als Soldat sofort Kriegsteilnehmer, doch erhielt er 1940 Studienurlaub und reichte für eine Ausstellung im Badischen Kunstverein in Karlsruhe ein, er wurde aber wegen Irrationalismus ausjuriert, obwohl Hermann Goebel in der Jury für ihn votierte. 1942 wurde sein Bein durch einen Schuß zerstört, und er kam nach Wien ins Lazarett. Auf Anraten eines Militärarztes konnte er an der Wiener Akademie bei Herbert Boeckl studieren. Dessen Konturanschauung im Abendakt verwunderte ihn: „Wenn Sie genau hinsehen, sehen Sie um den Akt eine zweite Linie", sagte der, wohl eine Art Lichtaura. In Wien lernte er den

Karlsruher Komponisten Hans Erich Apostel kennen, Schüler Alban Bergs, der Beziehungen zu Alfred Kubin unterhielt und einer Art Nolde-Gemeinde vorstand. Durch ihn hat Jäger Nolde einmal flüchtig kennengelernt, als dieser in Wien bei Apostel wohnte, um bei Baldur von Schirach zu erreichen, das Malverbot rückgängig zu machen. Dort traf er vielleicht auch auf den Literaten Rainer Maria Gerhardt, einen Karlsruher Neffen Apostels.[10]
Nach seiner Wiedergenesung wurde er zum Ersatztruppenteil nach Bunzlau versetzt, dann kam er abermals ins Lazarett, war bei Görlitz und abschließend in Freiburg. Dort ließ er sich nieder, um seinen Karlsruher Verwandten auszuweichen, dann heiratete er. 1944 verlängerte er sich ohne Erlaubnis zwei Mal einen Sonderurlaub aus Bunzlau, daraufhin wurde er an die Front bei Aris in Ostpreußen versetzt, stürzte im Geschoßhagel in einen eisigen Fluß, desertierte, geriet in russische Gefangenschaft. Er trat in das Nationalkommitee „Freies Deutschland" ein, arbeitete in der „Antifa". In diesen dann fünf Jahren hat Jäger im Wald, im Hoch- und Tiefbau, als Stukkateur und als Schriftenmaler gearbeitet.

Seit den vierziger Jahren wurden es koloristisch feine, an Paul Cézanne geschulte Bilder, die in ihrer Ruhe nichts mit der so deutschen Kunstausübung, mit der Verlogenheit und pathetischen Harmlosigkeit seiner Vorsteher gemein haben. Sie sind die Bestätigung für die widerständige Kraft des Jungen, der im Studium eine menschenleere Fingerübung und zugleich eine Menschenlehre sah und während des Krieges bem Expressiven Herbert Boeckl in Wien selbst seine Chancen suchte. Dennoch ist alles akademisch, nicht eben zeitgenössisch, wie soll es auch, wenn er 1937 nur kurz, aber intensiv in München die Kunst sah, die er als Lehrstunde suchte. In jener merkwürdig beharrenden, innerlichen Sammlung bleibt er fern vom Deutschtum, fern vom Krieg, der um ihn, in ihm und an seinem Körper wütete. Bert Jäger bereitete sich in großer Zuversicht auf das Ende seiner Jugend vor. Die Gefangenschaft mag da, fern der Kunst, ihre Wirkung gezeigt haben. Das wurde die Malerei der Nachkriegszeit: zu früh geweckt, sehr spät aufgestanden.

II

1949 wurde er nach Freiburg entlassen. Durch den Krieg war seine Entwicklung gänzlich abgebrochen. „Nach der Gefangenschaft gab es die Vehemenz der Rückkehr: das zu finden, was aktuell war, gewissermaßen eine existentielle Situation zu erleben und umzusetzen."[11] Aber er hielt gegenüber den Konventionen durchaus auch Distanz. Es gab zwar seit 1949 im Kunstverein die obligatorischen Weihnachtsausstellungen, doch hat er sich daran nie beteiligt. Er wurde Mitglied des BBK[12] und der „Jungen Gruppe Baden" um den Karlsruher Maler Willy Kiwitz. „Ich habe, so gut es ging, Fuß gefaßt. Auch bestand der Zwang, die Familie zu ernähren."[13] Er erneuerte über seine Frau die Bekanntschaft zu Rainer Maria Gerhardt,[14] der ihn mit moderner Literatur vertraut machte.[15] Durch ihn hat er die Literatur Henry Millers kennengelernt und „ich habe es mit ihm gehalten."[16]
In den Fünfziger Jahren reiste er wiederholt mit dem Vorsitzenden des Kunstvereins, Siegfried Bröse und dessen Gruppen nach Paris. Cabaret und Jazz[17] im Quartier Latin waren Teil, doch war die Kunst dominant. "Dann habe ich gezielt Museen besucht, manchmal nur ein einziges Bild mir angesehen. Vor allem Courbets „Begräbnis von Ornans" hatte es mir angetan.[18] Und ich habe Soutine gesehen; und in Cagnes zu sein, um Soutine dort zu wissen, gab mir ein heimeliges Gefühl. Aber Paris war insgesamt nicht so interessant: Auch der Surrealismus und die Ecole de Paris nicht, das war mir zu kalt, zu kopfig, nur Buñuel und seine Filme gefielen mir."[19] Er reiste möglichst viel und hat sich wichtige Ausstellungen angesehen. „Ich bin ein neugieriger Mensch, was Kunst angeht, und besuche bis heute jede große Ausstellung, die mir erreichbar ist."[20]

Es war schwer zunächst in Freiburg, den Nachholbedarf an aktueller Kunst zu stillen; kaum gab es Zeitschriften, noch Ausstellungen. Künstlerisch orientierte er sich an Georges Braque,[21] dann an Pablo Picasso vor allem; und suchte nach kubistisch-flächigen Lösungen. Auch Hans Hartung oder Jean Fautrier mit ihrem gestischen Existenzialismus interessierten ihn zunächst merkwürdigerweise weniger[22] - vielleicht mochte ihn auch die politische Setzung des Kommunisten Picasso anziehen.[23] Jägers Malerei fußte auf Paul Cézannes flächig-prismatischen Kolorismen, und so ging er zunächst vor allem der Veränderung der Komposition von der Zentralperspektive zum kubistischen Bewegungsraum nach. Damit brachte er fünf harte Jahre zu, im Badischen vielleicht modern, in Paris aber konventionell zu sein.[24] Aber er sah und lernte, fand bis 1958 über den späten Kubismus[25] zu einer Malerei, die auf den Einflüssen von Joseph Lacasse aufbaute, den er seit der Studienreises des Kunstvereins nach Paris 1952 kannte.[26] Dort fand er auch in Roger Brielle einen ähnlich denkenden Literaten, Kunstkritiker und Maler, dessen poetisch-abstrakte Malerei der freien Anlehnung an Paul Klees Abstraktion ihn anzog, doch verstarb dieser 1960.[27]

Er wurde Mitglied der sehr losen Verbindung „Freie Gruppe Oberrhein" um Günter Fruhtrunk, Walter Schelenz, Johannes Schmid (einem engen Freund von Julius Bissier), dessen Atelier er benutzen konnte und das er später übernahm und dem baldigen Freund Roland Geffers. Gemeinsam wurde man im Freiburger Kunstverein aktiv, von hier wurden ihm Verbindungen zu anderen Künstlern leicht gemacht.[28] Schelenz hat Jäger zum Künstlerbund Baden-Württemberg vermittelt, und 1955 streute Alfred Haller die Legende, Bert Jäger hätte, wenn er nicht zu alt gewesen wäre, einen Preis beim Kunstpreis der Jugend in Baden-Baden erhalten. Er konnte 1958 ein Wandbild für das Innen-Ministerium in Stuttgart gestalten, ferner, gemeinsam mit Richard Bampi, eine Keramikwand im Freiburger Arbeitsamt. Doch mußte er bis in die sechziger Jahre weiterhin

Walter Stöhrer: Halluzinierte Signale, 1968

Gebrauchsgrafik machen, u. a. die Briefmarken zu Ignaz Semmelweis und zu den Gebr. Grimm. 1952 illustrierte er ein Buch,[29] und über „Caritas International", für die er Fotoaufträge übernommen hatte, war er an der Weltausstellung 1958 in Brüssel mit Gebrauchsgraphik für deren Raum beteiligt. Für die Internationale Europahilfe einer Schweizer Hilfsorganisation hat er in Italien mit dem Journalisten Schnittrig berühmte Werke beschrieben und fotografiert.

Mit dem noch bis zu seinem Aufenthalt 1952 bei Fernand Léger in Paris ähnlich malenden Günter Fruhtrunk verband ihn trotz der Zusammenarbeit in der Hängekommission des Kunstvereins eher persönliche Animosität, so sehr es in der doch pragmatisch gesetzten „Freien Gruppe Oberrhein" 1954 nach Gemeinsamkeiten aussah.[30] In Opposition zu der sehr aktiven „Palette" und deren Konservatismus suchte man nach einer Gegenposition. Damals wurde Fruhtrunk jener, „der sich am weitesten vom Gegenständlichen entfernt und abstrakte oder besser absolute Kunstwerke schafft."[31] Mehr noch wurde der Ateliernachbar und Bildhauer Walter Schelenz zum Mitstreiter hinsichtlich einer „konkreten" Ausrichtung, die in der Freiburger „réalité" - Ausstellung 1958 ausstellte.[32] Aber auch hierfür war der Auslöser vielleicht eher die Resonanz auf die früheren Pariser Salons des Nouvelles Realités sowie eine im Vorjahr präsentierte Konkreten - Ausstellung mit Werken von Max Bill, Victor Vasarely, Camille Graeser und Richard Mortensen;[33] und so ergaben sich vielleicht Schnittstellen, aber keine Gemeinsamkeiten. „Rückblickend mag diese Schau für die Maler.. nicht mehr als eine Station, zum Teil möglicherweise sogar ein Umweg innerhalb ihrer Gesamtentwicklung gewesen sein."[34]

Seine so persönlich geprägten Beziehungen zu Karlsruhe ließ er jedoch kaum aufleben. „Zwischen Karlsruhe und Freiburg bestand damals auch durch die Grenze wenig Austausch. Ich war mit Willy Kiwitz befreundet, habe Antes nach Freiburg geholt, auch für Grieshaber dort später einen Katalog gemacht, doch interessierte mich die Karlsruher Akademie nicht mehr. Damals ist anfänglich nichts passiert, ich habe nichts verkauft. Ich hatte aber auch meine Familie zu ernähren mit drei Kindern, hatte keine Zeit zu gesellschaftlichen Dingen, und so habe ich mich auch wenig um andere gekümmert. Gewiß, ich habe dann später de Kooning, Franz Kline, Jackson Pollock gesehen, auch die Gruppe Cobra, Peter Brüning, ja, das habe ich gekannt, aber habe keine Bezüge dazu, das war mit Cy Twombly ähnlich."[35]

Doch mit dem Freund Willy Kiwitz[36] fand er einen Künstler, der damals strenger geometrisierend, doch ähnlich abstrahierend von der Gegenständlichkeit Abschied nahm.[37] Mit ihm sah er den „Abstrakten Expressionismus" der

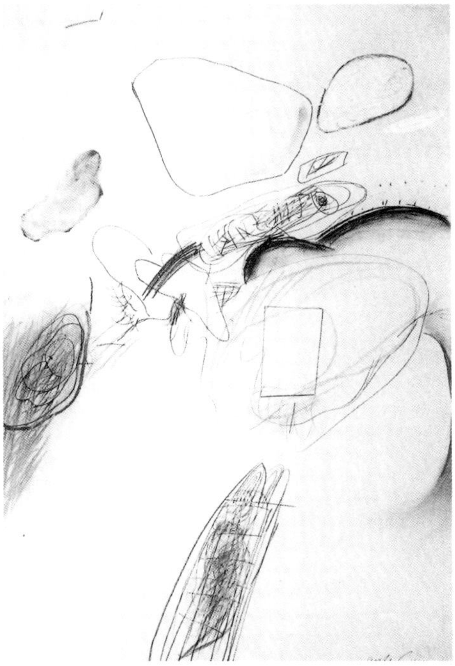

Horst Antes: O.T. 1961.

Amerikaner 1959 auf der Kasseler "documenta 2",[38] und er spürte der Unmittelbarkeit des körperlichen Ausdrucks nach, ohne in das Informel seiner Altersgenossen zurückzufallen. "In die abstrakte Malerei zu wechseln, war für mich nicht ungewöhnlich. Das ergab sich aus meiner Biographie."[39] So löste er sich von den statischen Formen und fand sich beim gestischen Malen wohl. Noch 1959/60 wirkte in seinen Gemälden der Aufbau der Synkopen von Willy Kiwitz nach, indem ein Tableau flächig gleicher Farbklänge den Grund für schemenhafte Figurationen bildete, doch übernahm bald das motorische Dripping des gestischen Arbeitens und räumlichen Aufbauens die Regie. Hat ihn damals insgesamt Wassily Kandinskys Werk sehr beeinflußt, so war er zugleich auch für die Gemälde von Franz Kline, William de Kooning und Robert Rauschenberg empfänglich geworden.

Hier finden sich Ähnlichkeiten zur Ablösung der HAP Grieshaber-Klasse in Karlsruhe vom Expressionismus des Lehrers, doch verneinte Bert Jäger Kontakte etwa zu Walter Stöhrer, zu Heinz Schanz: Das habe er, bis auf Werke Horst Antes`, nicht gekannt. 1960 wurde er Mitbegründer der Freiburger „Galerie 61" im SDS im Keller der Alten Universität, deren erste Ausstellung nach Bert Jägers Meinung die erste Einzelausstellung von Horst Antes war.[40]
Auch kannte er die Gruppe „Spur" aufgrund der Austellung 1964 im Freiburger Kunstverein, und zur nachfolgenden Gruppe „Geflecht" blieb lange ein loser Zusammenhang bestehen. Seine Malerei hatte ihre Quellen eher in der Malerei etwa Emilio Vedovas, den er 1962 durch die Ausstellung im Kunstverein kennenlernte und der ihm der Galleria XXII Marzio anempfahl; Friedrich Bayl, der Vedovas Malerei im Freiburger Katalog als „Kraft der Malerei, welche die moralische Wahrheit strukturiert",[41] beschrieben hatte, vermittelte ihm zudem den Kontakt zum Premio Marzotto. Aber es war der historische Kontext, weniger das private Milieu. Damals entstand die selbständige Kunst des vielgereisten und gut informierten Strukturalisten Bert Jäger, er war jetzt knapp über vierzig Jahre alt.

Emilio Vedova: Spagna. 1961/62

III

Für die neue Zeit war Bert Jäger nun bestens gerüstet. Überall war Neugier, das Interesse am Fremden zu spüren, man entdeckte die Kunst außereuropäischer Völker und früher Epochen, zeigte und bewertete sie neu. Das „Kunstwerk" etwa, Sprachrohr der aktuellen Kunst, setzte sich mit André Malraux' Imaginären Museum auseinander, berichtete über die Kunst Chinas, Afrikas oder die Höhlenmalerei. Horst Antes erwarb damals seine Kachina-Figuren.[42] Bert Jäger stand diesen Interessen nahe, zahlreiche Reisen beflügelten seine Internationalität, die Vielschichtigkeit seiner Begabungen als Fotograf, Grafiker, als Schriftsteller; seine Kenntnisse der zeitgenössischen Literatur, all dies stimulierte sein nun erklärt aktuelles Malen an einem der Wendepunkte der Kunst zwischen Farbfeld und strukturalistischer Figuration. Und er fand seine ersten Sammler, darunter seit Anfang 1960 Rudi Wolpert, der seit da sein Freund und Förderer wurde.[43]
So konnte er 1961 getrost seine erste große Einzelausstellung im Freiburger Kunstverein zeigen, die den Wandel vom Kubisten zum abstrakten Maler präsentierte. „War die Farbe früher oft Zutat zur Form und deren Illustrierung, so ist sie jetzt in ihrer ganzen elementaren Triebhaftigkeit entbunden. Die Urkontraste Blau und Rot begegnen sich etwa, und zwischen ihren Verschränkungen können sich jetzt malerische Delikatessen einnisten, wie man sie bei den Venezianern oder bei den Franzosen genießt. Aber die kosmischen und die intimen Landschaften, die Aktmotive, die Naturdetails, all das hat sich entfernt; zurückgeblieben ist eine farbige Haut, die man früher, auf Stilleben und Genre bezogen, ‚Stimmung' genannt hätte, jeweils eine besondere Stimmung. Jetzt aber, da der Maler Blut und Boden und

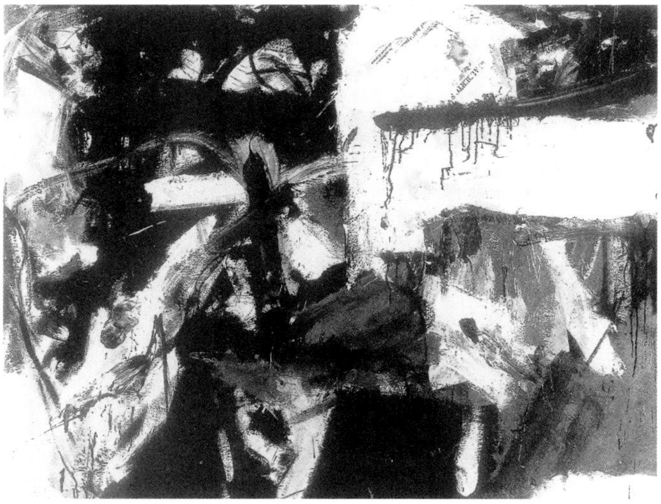

Emilio Vedova: Ciclo '62. B.B. 4, 1962. 1962

Motiv wie Zentnerlasten von sich geworfen hat, wo er auf einer imaginären Wolke lagert und von dort aus die innere und äußere Welt betrachtet, jetzt wird die unendliche Stimmung des Lebens gemalt."[44] Die retrospektiv angelegte Ausstellung wies den Weg von der Geometrie eher traditioneller „konkreter Kunst" zur freien Geste, die damals vor allem Hans Platschek zu repräsentieren schien. Bert Jäger hatte sich vom Ballast der Frühzeit freigemacht. „So scheinen sich auch bei Jäger Strukturen anzudeuten, und bei dem Bild Cry of an Ant suggeriert der Verlauf der Pinselstriche zweifellos dergleichen."[45]

Robert Rauschenberg: Lincoln. 1958

Aus dem dichten Gewebe von Farbfeldern im linear-impulsiven Gefüge schälten sich mehr und häufiger rhythmische und quasi-figurative, zeichenhafte Elemente heraus, welche das Farbgemenge ordneten und zugleich widerspenstig machten. Siegfried Bröse nannte es 1963 Cool Painting, „ruhig, bedächtig, kühl. Die Bilder haben, ohne konstruiert zu sein, Festigkeit.“[46] Nicht um Reinheit, sondern um die stets andere Mischung ging es.[47] Er löste das eher dichte Blattgefüge durch die Bloßstellung der weißen Fläche so auf, daß autonomisierte Zeichen von Landschaft und Figur die Überhand gewannen,[48] eine Umkehr des Prozesses vom Abbild zum Bild, den er zwei Jahre zuvor erst eingeleitet hatte. Die persönlichen Gründe für diesen historischen Wechsel sind nicht bekannt, doch mag die Kritik an seinen „gestischen“ Bildern, die er 1962 in Stuttgart ausgestellt hatte, eine verstärkende Wirkung gespielt haben. Die „Stuttgarter Zeitung“ hatte so hart wie richtig rezensiert: „Jäger, Jahrgang 1919, erweist sich als ein unkompliziert-robuster Vertreter des reichlich gealterten action painting. Er verfügt ohne Zweifel über Kraft und Energie; neben Platschek wirkt Jäger elementar, neben Vedova erscheint er illustrativ. Die Stärke dieses Malers liegt in einer emotionell betonten Gestik, die sich allerdings nur selten als bildnerische Notwendigkeit bekundet. Die farbigen Bezüge muten bei Jäger ungebührlich vage und zufällig an, ein Vorgang, der durch rhetorische Deklamation und lärmreichen Aufwand der Mittel negativ verschärft wird. Selten vermag Jäger den spezifischen Ausdrucks- und Spannungswert der Farbe dem Bild konsequent nutzbar zu machen. Das erklärt die dekorative Substanz seines Malwerks. Die Inkonsequenz wird in dieser sich exaltiert gebärdenden Malerei, die weniger durch Originalität als durch handschriftliche Furore auf sich aufmerksam macht, zum Prüfstein der Qualität.“[49] Es ist nicht mehr bekannt, ob Jäger Werke seiner neuen Schaffensphase vom 1. Dezember 1962 bis zum 5. Januar 1963 in Stuttgart zeigte, doch konnte dieser Verriß ihn zugleich auch auf seinem neuen Weg bestätigt haben, den er seit September 1961 eingeschlagen hatte, aus dem Informel in feste Strukturen zu wechseln, ohne die Flexibilität und Vieldeutigkeit der Gestaltung aufzugeben.[50] In der Malerei dauerte dieser Schritt zum ‚strukturellen‘ Informel (S. Bröse 1963) allerdings fast ein Jahr länger.[51]

Es mag für Bert Jäger schwierig gewesen sein, aus dem Unterbewußten seiner Spontaneität heraus zu vorbewußten Formen zu gelangen. Dies freilich ist eine Entwicklung, die seit Wassily Kandinskys Bildwelt um 1910 diskutierbar wurde. „Wenn Kunst den Anspruch stellt, unserem Bedürfnis an Kultur direkt zu entsprechen, dann muß gerade in den imaginär ‚neutralisierten‘ Materialien eine substantiellere ‚Materialität‘ erlebbar werden, das heißt: unser Erleben selbst als unser ‚Fleisch‘. Es ist daher nicht nur die These von der ontischen Mimesis mit Heidegger aufzugeben, sondern dazu jene Epoché durchzuführen, die alles habitualisierte Sehen auf die innere Selbstaffektion dieses Sehens selbst zurücklenkt. Kandinsky muß hierzu immer wieder in Anspruch genommen werden, weil für ihn der Malakt gerade jeder Intention beraubt ist, irgendeinen im Vorhinein existierenden Gegenstand nachzuahmen. Er ist deshalb ein Phänomenologe in einem ganz eminenten Sinne, denn wenn bei ihm die Formen und Farben aus einer rein ‚inneren Notwendigkeit‘ entspringen, die ohne jede bildhafte Vermittlung das innere subjektive Pathos als ‚Schwingungen der Seele‘ sind, dann hat Kandinsky damit eine andere Phänomenalitätsweise als die der Welt zusätzlich entdeckt.“[52] Diese Voraussetzung war bei Bert Jäger seit der Organisierung des Bildfeldes durch Farbfelder gegeben. „Das Wort Künstler macht mich nervös. Ich bin Maler. Ich konnte nie vorsätzlich malen, mir unterläuft das. Es ist daher eher ein organischer Vorgang, zu sich selbst zu kommen. Der subjektive Impuls war mir wichtig. Ich sah und sehe Kunst eher als natürlichen Vorgang. Mir wurde Dürers Wort ‚Die Kunst ist in der Natur, wer sie herausreißen kann, hat sie‘, wichtig.“[53] Mit der Betonung des Malaktes einher ging die Entwicklung eines ordnenden „All-Over“, das sich Bert Jäger in seiner gestischen Phase aneignete, um einen Bodensatz an Ordnung und Offenheit zugleich in der Komposition zu gewährleisten.[54] Da es ihm aber nicht um einen ungegenständlichen Surrealismus ging, fand er in der strukturalistischen Sinn- und Bildanalyse seine Form. Damals untersuchten Literatur wie Kunst des Neo-Dada semantische Bildformen in ihren Ganz- wie Teilelementen, um sie zugunsten der Vieldeutigkeit um ihre Geschlossenheit und Eindeutigkeit zu bringen. „Auf die gleiche Weise liegen die Elemente der mythischen Reflexion immer auf halbem Wege zwischen sinnlich wahrnehmbaren Eindrücken und Begriffen. Es wäre unmöglich, die ersteren aus der konkreten Situation, in der sie erschienen sind, herauszulösen, während der Rückgriff auf die letzteren es erfordern würde, daß das Denken wenigstens vorübergehend seine Absichten außer acht lassen könnte. Es besteht aber ein Zwischenglied zwischen dem Bild und dem Begriff: das Zeichen; denn

man kann es immer in der Weise, die Saussure für diese besondere Kategorie der sprachlichen Zeichen eingeführt hat, definieren: als ein Band zwischen einem Bild und einem Begriff, die in der so hergestellten Vereinigung die Rolle des Signifikanten bzw. des Signifikats spielen.
Das Zeichen ist, wie das Bild, etwas Konkretes, aber es ähnelt dem Begriff durch seine Fähigkeit des Verweisens: beide beziehen sich nicht ausschließlich auf sich selbst, sie können für anderes stehen. Doch besitzt der Begriff in dieser Hinsicht eine unbegrenzte Fähigkeit, während die des Zeichens begrenzt ist."[55] In dieser Fluktuation zwischen offenem Bild und Zeichen entstand eine Malerei, die freien Flächen und fast festen Zeichen zu lockerer Verwandtschaft verhalf. Hierzu bedurfte es freilich des Loslassens von klassischen Gestalt- wie Kompositionsideen, ein Fluktuieren in freien Räumen, ein quasi kindliches Umherirren zugunsten des Betrachters, der diese Bilder sinnfindend zusammenbinden konnte. Der Begriff des Künstlers hatte sich somit geändert, aus dem Creator mundi wurde ein Bastler auf der Suche nach den Bruchstücken der Welt, deren Gesamtheit ohnehin nicht erfasst werden kann. „Die Eigenart des mythischen Denkens besteht, wie die der Bastelei auf praktischem Gebiet, darin, strukturierte Gesamtheiten zu erarbeiten, nicht unmittelbar mit Hilfe anderer strukturierter Gesamtheiten, sondern durch Verwendung der Überreste von Ereignissen: odds and ends, würde das Englische sagen, Abfälle und Bruchstücke, fossile Zeugen der Geschichte eines Individuums oder einer Gesellschaft. In gewissem Sinn ist also das Verhältnis zwischen Diachronie und Synchronie umgekehrt: das mythische Denken, dieser Bastler, erarbeitet Strukturen, indem es Ereignisse oder vielmehr Überreste von Ereignissen ordnet, während die Wissenschaft unterwegs allein deshalb, weil sie sich stets begründet, sich in Form von Ereignissen ihre Mittel und Ergebnisse schafft, dank der Strukturen, die sie unermüdlich herstellt und die ihre Hypothesen und ihre Theorien bilden. Aber täuschen wir uns nicht: es handelt sich nicht um zwei Stadien oder um zwei Phasen der Entwicklung des Wissens, denn beide Wege sind gleichermaßen gültig."[56] Das somit offene Werk wird zudem der Subjektivität ihres Schöpfers anheimgegeben, ohne dessen Privatheit zu tangieren.[57] „Ich mache keine Kunst, sondern Malerei. Wenn das dann Kunst wird, ist es mir recht", umriß Bert Jäger später seine Position.[58] Das Ziel der Malerei wurde damit geöffnet, nicht nur mit dem Mittel der Öl- oder Acrylfarbe zur Malerei zu gelangen. Dingwelt und Phantasie, Elemente der fotografischen Realität und der Farbe, auch Literarisches[59] verbinden sich zu einer weit offenen Bilderfahrung zwischen „handschriftlichem Furor"[60] und pointierter Bildsetzung.

IV

1964 erhielt er die Gelegenheit, abermals im Freiburger Kunstverein nun Bilder und Graphiken der letzten zwei Jahre auszustellen. „Doch das wirklich Neue sind die nun ins Bild eingelagerten Formen oder Dingformen, die der Bildstruktur bei aller heftigen inneren Dynamik eine größere formale Klarheit und scheinbare räumliche Tiefenschichtung geben."[61] Anscheinend Elemente der Abbildlichkeit, verzahnen sie sich wie bei Gerhard Hoehme und Walter Stöhrer zu Metazeichen ihrer Realität.
Was sich in den Gemälden zwischen Malerei und Collage mit Fotos aus Zeitungsaussrissen und Buchstabenstücken zum gemeinsamen farbigen Klang bindet, bleibt in der Zeichnung offen und ist durch die graphische Anlage strikt von der Malerei getrennt: Es beginnt ein Tanzen über dem Papier, ein Konstruieren in florettener Leichtigkeit, im Springen, Erzählen, im Schlagen und Erwischen willkürlicher Tuscheplatscher, es wird zum Purzeln der Elemente als Generalbass des Bildes zwischen freien Linien, skurillem Personal und Wortfetzen, ohne sie je aus dem Gleichgewicht zu werfen. Jäger balancierte seine Zeichen, filigranen Figurationen und derben Pinselhiebe aus der Disharmonie der Techniken und Bezeichnungen ins Gleichgewicht, indem Stand- und Spielbeine stetig wechseln und durch horizontal lange Linien an einander gekoppelte Räume suggeriert scheinen. Stets in derart persönlich harmonischer Ordnung - das Bild ist in einem merkwürdig figurativem und landschaftlichem Ansatz abstrakt und strukturell zusammengefügt - halten sich diese Blätter in der Verrätselung in Großzeichen und ihrer Auflösung stabil; als suche man nach Erinnerungen an vormalig figurative Kompositionen. Aber im Austarieren der Elemente ist die Eindeutigkeit getilgt, das Vieldeutige gewinnt an Zugkraft, wird zur Hoffnung.
Da war er fast so klassisch wie Peter Brünings feiner Tanz um die Mittelachsenhorizonte, den stärker vernetzten systematischen Zeichenreihen Gerhard Hoehmes ähnlich, auch Cy Twomblys Harmonisierung der Gestaltkürzel innerhalb dessen doch überraschend traditionell zentralperspektivischen Bildraums nahe. Aber nur einem ist er in der radikalen Offenheit der Komposition und Zuordnung der Figurationen unbewußt vergleichbar: Walter Stöhrer negierte ebenso die räumlichen Stabilisatoren, wagte sich in die Freiheit der Disharmonien, sein Körperzeichen ist ähnlich einfach und gegenständlich drastisch. Beiden Karlsruhern ist neben der emotionalen Spannung gleichermaßen eine hohe Literarität eigen, ohne daß sie illustrativ wirken.[62] Der Betrachter ist gehalten, sich aus den Versatzstücken einer ehemaligen Gesamtheit ein neues Bild zu machen
Was sie unterscheidet, ist die Frage nach der Federführung. Bert Jäger negiert seine Herkunft aus dem Tachismus nicht, aber durch die Verfestigung zum Zeichen führt er das Bild weit in die Bereiche der internationalen Kürzelsprache, ohne daß die Blätter als Erzählung oder als Raumzeichen figurieren. Es werden jene Zeichen, die in ihrer Aussage entgegen den gebrauchsgraphischen Pictogrammen radikal vielgestaltig bleiben. Und im großen Tusch der flächigen Spannungsbögen löst Bert Jäger die Affinität zur Gestalt zugunsten weiter Abstraktionsfreiheit auf.
Vielleicht auch unter dem Eindruck des Hinweises, daß die Collageelemente auch durch die Farbe allein schon ausge-

Peter Brüning: Ohne Titel. 1963/64.

Cy Twombly: Ohne Titel. 1963

drückt werden könnten[63], begann Bert Jäger 1965 mit gemalten Versatz- wie Schriftstücken, die das Bild einheitlicher, aber auch linear gebundener, geschlossener wirken lassen. Die Verve des malerischen Auftrags trat zugunsten der Reduzierung auf vormalige Teilstücke und die Erkennbarkeit einzelner, autonomisierter Zeichen zurück. 1966 und 1967 malte er gerade einmal ein Gemälde, vier Werke auf Papier und ein Wandbildentwurf demonstrieren die wachsenden Zweifel am merkwürdig unpersönlichen Vorgehen. Aber es ist allgemein eine eher objektive Zeit wie öffentliche Welt, in der sich der einbeinige, von Rheuma und einer Augenkrankheit schwer geplagte Maler bald in einer Krise befindet, aus der heraus 1968 die gestische Arbeitsweise mit achtundzwanzig Gemälden zugunsten einer POP-Malerei aufgegeben wurde, die aus den damals üblichen farbigen Flächen in harter Konturierung figurativ-organoide Zeichen schafft.[64]
Diese Formenwelt fern vom subjektiven Duktus – noch Lambert Maria Wintersberger oder Dieter Krieg lassen bei aller Objektivierung das Handwerkliche des Pinselzugs erkennen – wirkt wie ein sprunghaftes Übersetzen in eine wenig verschlüsselte, plakative Welt der „Satiren“,[65] und er gab das Malen 1968[66] auf.[67]
1969 wurde aufgrund einer mißlungenen Hüftgelenksoperation ein Jahr körperlicher Schwierigkeiten, zuletzt 1970 stellte er zwei Gouachen beim Künstlerbund Baden-Württemberg aus,“[68] ferner in der Karlsruher Ausstellung „Kunst aus Südbaden.“ [69] Die Aufträge für Kunst am Bau konnte er nur noch mit Hilfe von Freunden zu Ende führen. Aber er fotografierte viel und schrieb,[70] bis sein Augenlicht krass abnahm. 1983 und 1984 lernte er nach zwei Operationen das Sehen neu.

V

1987 begann er wieder zu zeichnen, als er nach der ersten Ausstellung zunächst seiner Photographien, dann der Werke auf Leinwand und Papier 1961-1964 in Freiburg 1986, weiter in Saulgau 1987 wieder Seh- und Malkraft genug gesammelt hatte. Es werden fast einhundert Blätter, ehe er ein Jahr später neu zu malen begann. Er unterhielt wieder in Freiburg und auch in Pietrabruna in der Nähe von Cipressa, dem Alterssitz von Peter Herkenrath in Ligurien, ein kleines Atelier, doch die beiden kannten sich kaum. Hier wie dort malte und zeichnete er.

Es werden überraschend klare, helle, im weitesten Sinne auch aufgeklärte Blätter, in denen er frei von jeglicher Konvention zu seiner Kunst der Zeit um 1963/64 zurückfindet, von dort den Sprung nach vorne wagt und zu einer koloristisch reichen, weniger durch die Feder definierten Form, sondern zur Gleichwertigkeit aller zeichnerischen, malerischen und montierten Bestandteile findet. Ein Spätwerk entwickelt sich. Ein eigenartiger Kampf gegen die POP-Art, die ihn doch um 1970 zum Schweigen gebracht hatte, beginnt, und Bert Jäger sucht eine Klärung, durch die Öffentlichkeit hindurch zur Privatheit zurückzufinden, das Private als Geheimnis der Publizität zu erkennen.
Das Wissen um sein malerisches Vermögen, die Verve der gestischen Würfe, aber auch die Disziplin, mit er die Blätter mit Farbe wie Zeichen belegt, überraschen. Es ist ein Kritzeln, Verwerfen, Verfestigen, Ansetzen und Vertuschen, ein Spiel zwischen den Schwüngen des Pinsels, dem Stammeln der Feder und jedem stotternden Sprechen zwischen Suche und Verwerfen. Das Bilden und Verbilden, kurz: die Skepsis jeder Niederschrift gegenüber und dennoch die Lust, das Neue zu versuchen, verfestigen sich zu

Rudi Wolpert und Bert Jäger bei der Verleihung des 1. Maria-Ensle-Preises 1994 im Freiburger Rathaus

einer Bildsprache, in der Schwarz und Weiß den Tenor zu Zwischentönen, zu Klängen und Dissonanzen geben. Mehr aber nicht, denn die Offenheit wird durch riskante, manchmal provokante Kompositionen ebenso erzeugt wie durch Akkorde in Farbe und Zeichen, zu denen sich die collagierten Teile von Fotoabbildungen ebenso hinzugesellen wie Wortfetzen. Bild und Sprache sind in einer fortwährenden Analyse über sich selbst. Nichts bleibt bestätigt, alles klangvoll geweitet. Der Klassiker kämpft gegen den Dilettanten, alles ist erlaubt.
Die Bilder rekrutieren sich aus dem Tanz um die Mittelachsen. Die Bildelemente und ihr Raum tauchen aus den Tiefen des Raums auf wie ein, finden zu Korrespondenzen, konjugieren sich, klingen gemeinsam, aber verfestigen sich nicht. „Insgesamt ist es so: Ich habe bemerkt, daß Dinge, die mich interessieren, so etwas wie Nachbarschaft bedeuten, mehr aber nicht. Der Umgang mit mir selbst ist dermaßen schwierig, daß ich mit einer zweiten Person nicht zurechtkäme."[71] Präsenz und Skepsis gegenüber Personen, Personal, Raum wie Zeit nehmen zu. Die Bezweifelbarkeit eines jeden Bildes, seiner Sache wie seiner Emotion, treibt Bert Jäger um und führt ihn zu immer reicheren Gestaltungen, die aus der „biographischen Spur"[72] heraus zur Strukturanalyse wie Systemtheorie allgemeiner Zustände führen: Die gesellschaftliche Unbedingtheit, sich politisch zu engagieren, ist abermals erkennbar und bis zuletzt ein Ziel seiner Kunst. So knüpft er ein stets gleichwertiges Netz aus Liniaturen und Feldern, aus Flächen und Figurationen, aus Fülle und tabula rasa, aus Gekritzel und Gekröse und aus vormals festen Bildern, ihren Surrogaten aus Illustrierten wie Events, abgeklopft, umgedreht, überprüft und wiederverwendet. Kein Gestammel, kein kindliches Vergnügen geht verloren, kein akademischer Rat bleibt unerweckt. Sein Realismus wächst aus den Stand- wie Laufbildern, die den traditionellen Begriff des Realismus längst hinter sich lassen. Denn dieser war göttlicher Natur, dem Menschen fehlen hierzu die Sinne. Umso sinnloser sind daher die objektiven Perspektiven, umso sinnloser wird die Langatmigkeit der Beschreibung, die Langeweile provoziert. Darum ging es Bert Jäger nicht.

So malte und zeichnete er mit wachsendem Vergnügen an der Virtuosität des Widerspruchs: in der Privatheit des Ateliers allein zu sein und in Ausstellungen präsentiert zu werden. „Ich male für mich und möchte dabei durch nichts gestört werden. Ich fange völlig frei an. Manchmal ist es eine unglaublich willkürliche Lust, diesen oder jenen Ton zu verwenden."[73] Aus diesem Anfang im Ungewissen werden durch die Montage der Medien zusehends stärkere Kontroll- wie Bauinstanzen in die Bilder gesetzt, welche dennoch an Spontaneität nichts verlieren.

Und so sehr sich sein Alter in seinem Körper immer mehr Bahn bricht, den Leib immer mehr verzehrt, so leidenschaftlich malt er, bis er nicht mehr kann, zeichnet er, so lange er es vermag. Bis April 1998 machte er noch Papierarbeiten, zur Malerei hatte er keine Kraft mehr, es war ein Kreislauf auf Krücken. Dann starb er an Lungenversagen.

Bert Jäger mit Gisela Geffers im Freiburger Atelier 1992

1 Diese Biographie entstand zwischen 1994 und 1998 in mehreren Gesprächen und Ms.-Korrekturen mit Bert Jäger.
2 Von 1930 bis 1933 Leiter der Fachklasse für Innenarchitektur, dann als Modernist entlassen.
3 Bert Jäger im Gespräch am 8. 5. 1995.
4 Ausst. Kat. Kunst in Karlsruhe 1900 bis 1950. Karlsruhe 1982, S. 161. Siehe auch zu den folgenden Künstlern die Biographien dort. Siehe ferner den ausgezeichneten, von Wilfried Rößling herausgebenen Ausst. Kat. Stilstreit und Führerprinzip. Künstler und Werk in Baden 1930 bis 1945. Karlsruhe 1987.
5 Bert Jäger im Gespräch am 16. 12. 1994.
6 1936 war er mit der Klasse Siebert in einem Schulungslager in Mosbronn (Albtal) mit politisch-weltanschaulichem Programm. Mit von der Partie waren u. a. auch Emil Sauter und Hanfried Streit. Siehe den Antrag vom 24. 3. 1936, Akte Kultusministerium, GLA 235/40215.
7 Bert Jäger im Gespräch am 16. 12. 1994.
8 Bert Jäger im Gespräch am 8. 5. 1995.
9 Siehe hierzu Wolfgang Heidenreich: Auf sich selbst zurückkommen. Notizen zur Wahrnehmung des Künstlers Bert Jäger. Ms vom 7. 4. 1989. im Badischen Archiv der Staatlichen Kunsthalle Karlsruhe. Teilabgedruckt in: Ausst. - Faltblatt Galerie Rolf Ohse. Bremen 1991: „Als jüdische Freunde, denen er die Kenntnis vieler Denkweisen und Horizonte verdankt, emigrieren, fährt der 17jährige zum jüdischen Dichter Alfred Mombert, um für den Ungeist Abbitte zu leisten, der die gemeinsamen Freunde vertrieben hatte - eine Schlüsselsituation, eine Entscheidung für parteinehmende Menschlichkeit."
10 Bert Jägers Erinnerung war da ungenau.
11 Bert Jäger im Gespräch am 8. 5. 1995.
12 1994 ist er ausgetreten. Schreiben von G. Martin Krauss. Berufsverband Bildender Künstler. Südbaden, vom 9. 12. 1999 an mich.
13 Bert Jäger am 16. 12. 1994 im Gespräch.
14 1927 geboren, lebte er von 1942-45 in Wien, dann in Karlsruhe und Freiburg. Im „fragmente"-Verlag gab er eine Zeitschrift und Werke von Ezra Pound, Claire Goll, Wolfgang Weyrauch heraus. Zu seiner "gruppe der freunde der fragmente" gehörte u. a. Hans Magnus Enzensberger. 1954 beging er Selbstmord. Siehe: Georg Patzer: Von der Klosterkultur bis zum Neubeginn nach 1945. In: Literarische Gesellschaft (Hg.): Literatur am Oberrhein. Best. Kat. des Museums für Literatur am Oberrhein. Karlsruhe 1995; Georg Patzer: Sehr begabt und auch gefährdet. Rainer Maria Gerhardt starb im Alter von nur 28 Jahren in Karlsruhe. In: Badische Neueste Nachrichten, 20. 8. 1998. Im "Rainer-M. Gerhardt-Archiv" in Karlsruhe findet sich nichts zu Jäger. Immerhin gab es von Gerhardt "Versuche in Holzschnitt", so Georg Patzer in einem Schreiben vom 22. 11. 1999 an mich.
15 Georg Patzer: Seiner Zeit voraus, op. cit., S. 29, nennt Bert Jäger als Teil eines Freiburger Kreises um den Buchhändler Fritz Werner, und er zitierte ihn zu einer Lesung am 24. 2. 1950 in der Universität: "Dann traten sie auf, die Dichter, Malerdichter, wurden Übersetzungen eben dieser Dichter, von Perse bis Pound gelesen, erklang das Streichtrio in E des hoch begabten Genzmer-Schülers Berthold Hummel. Und es las auch eigene Lyrik der Kopf dieser Gruppe, Rainer Maria Gerhardt."
16 Bert Jäger im Gespräch vom 8.5. 1995: Er habe damals auch viel Italienisch gelesen und nannte Leone Ginzburg (einen Turiner Freund von Cesare Pavese, der im Kreis der Antifaschisten war und als Oppositioneller den Tod fand). Ginzburg ist in Deutschland relativ unbekannt geblieben. Doch auch Natalia Ginzburg gehörte zu seinem Lesestoff. Dies belegt u. a. sein Gemälde: "Il caldo fiume dei giorni scorre su altre sponde." 1991. Abb. im Ausst. Kat. Bert Jäger. Malerei 1988-1991. Freiburg i. Br. 1992, o. S., Nr. 37.
17 Blieb für ihn der Jazz etwa John Coltranes durchaus ein Begleiter, so hat er doch auch später nie während des Malens Musik gehört. Siehe hierzu einen Brief vom 30. 6. 1997 im Ausst. Kat. Tonspur. Zu Bildern der Sammlung. Freiburg 1998, o. S.: "Musik spielt in meinem Leben eine wesentliche Rolle und insofern auch im Hinblick auf meine Arbeit. Daß ich aber durch Musik direkt inspiriert wäre, glaube ich eher nicht. Derzeit zumindest. Früher war das ein bischen anders. Da gab es schon gewisse Beeinflussungen. Z.B. durch den Jazz (Coltrane)."
18 Siehe zu Courbet und Bert Jäger Margarita Jonietz: Zur Malerei von Bert Jäger 1961-1964. In. Ausst. Kat. Bert Jäger Freiburg 1986, S. 8f.
19 Bert Jäger im Gespräch am 8. 5. 1995.
20 Bert Jäger im Gespräch vom 16. 12. 1994.
21 Er sah aber, erst 1949 entlassen, weder die Ausstellungen der „Französischen Druckgraphik der Gegenwart" noch die 17 Gemälde Braques, die Kurt Martin 1948 von Karlsruhe aus nach Freiburg vermittelt hatte.
22 1951 hat er die „Jungen Franzosen" mit Hans Hartung im Freiburger Kunstverein gesehen.
23 1952 hat er die Picasso-Ausstellung im Freiburger Kunstverein besucht.
24 In der Ausstellung zur „Französische Druckgraphik der Gegenwart" 1948 lag ein Notizbuch aus, in dem vor allem Studenten ihre Meinungen zum Ausdruck brachten, häufig wurde die eigene „Deformation" durch den Krieg mit den „Deformationen" der Kubisten gleichgesetzt und als Affront gesehen. Siehe: Ulrike Spranger-Hauschild: Kunst zwischen Trümmern. In: Ausst. Kat. Die Kunst der frühen Jahre. Freiburg 1945-1960. Freiburg 1992, S. 41: „Kubistische Deformationen wurden als Angriff auf die eigenen Wertvorstellungen empfunden."
25 Im Gespräch meinte Bert Jäger, deren Malerei habe er erst später gesehen.
26 1953, 1956 und 1969 zeigte der Freiburger Kunstverein Ausstellungen Lacasses: Siehe Ausst. Kat. Joseph Lacasse. Freiburg 1969 mit „Erinnerungen" von Siegfried Bröse und Notizen „über die Kunst der Malerei" von Lacasse, die für Bert Jägers Kunst aufschlußreich sind. Siehe weiterhin: Ausst. Kat. Joseph Lacasse. Baukunst-Galerie. Köln 1970. Er wurde ab 1962 dank Bröse auch durch die Galerie Apfelbaum, Karlsruhe, vertreten. Siehe Gertraud Waldecker: Alte Möbel und moderne Bilder, BNN, 27.4. und „Geburtstagsfeier für eine Galerie". 30. 4. 1962.
27 Geboren 1899 in Malicorne (Sarthe), gestorben 1960. Er stellte 1955 im Salon des Réalités Nouvelles in Paris aus und hatte 1957 eine Einzelausstellung. 1958 erhielt er den Marzotto-Preis. Siehe: Saur. Allg. Künstler-Lexikon. Die Bildenden Künstler aller Zeiten und Völker. Bd. 14. München, Leipzig 1996, S. 210; E. Bénézit: Dictionaire critique et documentaire. 4. Aufl., Bd. 2, Paris 1999, S. 807.
28 Er war seit Ende der 5oer Jahre bis 1971 Mitglied der Jury der von Siegfried Bröse sog. Hängekommission. Dr. Bröse war philosophisch gebildet und mit Heidegger befreundet. Siehe: Beitrag von Walter Wackernagel in: Siegfried Bröse: Festschrift zum 85. Geburtstag. Freiburg 1980, o. S.
29 Freiburg 1992. Jon Svensson: Abenteuer auf den Inseln. Nomis Erlebnisse auf Seeland und Fünen. Mit Bildern von Bert Jäger. Freiburg 1952. Noch 1960 erschien: Der Kaiserstuhl. Des Weingotts stiller Garten. Bildband mit einem Text von Siegfried Bröse und Fotographien von Bert Jäger u.a.. Lindau und Konstanz 1960.
30 Fruhtrunk wechselte 1954 ganz nach Paris, und die Gemälde um 1954 machen deutlich, daß seine Malerei sich damals eher an

Fritz Winter, Willy Baumeister und der „Ecole de Paris" orientierte, also Jäger keinerlei Anregungen bot. Siehe Ausst. Kat. Günter Fruhtrunk. Frühe Bilder 1950-54. Freiburg 1993.

31 Rupert Gießler in der Badischen Zeitung vom 17./18. 7. 1954. In: Jochen Ludwig: Wie ein Moment von Dauer. Zum Frühwerk von Günter Fruhtrunk. In: Ausst. Kat. Günter Fruhtrunk, op. cit., S. 11, siehe die ganze Kritik S. 83/84.

32 Ursula Binder-Hagelstange: Passagen. In: Frankfurter Allgemeine Zeitung, 7. 10. 1958, schrieb zum eher „unglücklichen" Titel, die Aussteller „erklären ihn dahingehend, daß Wirklichkeit im Deutschen etwas von festgenagelter Tatsache habe, während in ‚realité' mehr Situation und Aktivität stecke, denn die Absicht ist eine Fixierung der fließenden Kunst- und Lebenswirklichkeit aus dem Zeitbewußtsein heraus, im Sinne von Sartres jetzt und hier." Zu Bert Jägers Bildern vermerkt sie: „Es ist erlaubt, vor diesen Bildern an Jazz zu denken, an den Kunst-Jazz, der ja ein unbestreitbares Element unserer Gegenwart ist."

33 Hier mag Siegfried Bröse als Anreger des Unternehmens eine wichtige Rolle gespielt haben, die unterschiedlichen Realitätsansichten Freiburger Künstler herauszustellen.

34 Jochen Ludwig: Die Freiburger Konkreten - Anmerkungen zu einer fiktiven Künstlergruppe. In: Ausst. Kat. Die Kunst der frühen Jahre. Freiburg 1992, S. 129.

35 Bert Jäger im Gespräch am 8. 5. 1995. Die Grieshaber Ausstellung war 1959 im Freiburger Kunstverein.

36 Zu Willy Kiwitz hatte er wohl bereits vor 1949 Kontakt. Er hatte mit dem Kulturbund zu tun. Spätestens nach der Ausstellung der „Jungen Gruppe Baden" und seiner Rückkehr aus der Kriegsgefangenschaft 1949 wird sich der Kontakt erneuert haben.

37 Bert Jäger berichtete, er habe sich mit ihm auch persönlich sehr gut verstanden. Vielleicht spielte hier auch die relative Altersgleichheit und Schicksalsähnlichkeit eine Rolle. Siehe allg. Ausst. Kat. Willy Kiwitz. Karlsruhe 1982.

38 Siehe Ausst. Kat. Willy Kiwitz, op. cit, S. 18. Dort wird von einem Brief Kiwitz' berichtet, der die „Gradheit" und die „sinnvolle Konsequenz in der Anwendung der malerischen Mittel" im Gegensatz zu den „konfusen" Deutschen preiste.

39 Bert Jäger im Gespräch am 8. 5. 1995.

40 Die Ausstellung wurde von Bert Jäger und Fritz Montfort, dem Besitzer eines Freiburger Modegeschäfts organisiert. In den Ausst. Kat. von Horst Antes steht bisweilen als Datum auch 1961. Dies trifft nicht zu. Mdl. Auskunft von Dorothée Antes vom 22. 11. 1999 nach Rücksprache mit Horst Antes.

41 Friedrich Bayl im Ausst. Kat. Emilio Vedova. Freiburg 1962, o. S., wiederabgedruckt im Ausst. Kat. Vedova 1935-1984. Museo Correr, Venezia. Mailand 1984, S. 135.

42 Siehe Andreas Franzke: Sammeln wie Zeichnen. Im Ausst. Kat. Horst Antes. Arbeiten. Sammlungen 1959-1995. Karlsruhe 1995, S. 23: „Um 1961 hatte er bei dem Völkerkundehändler Dupérieux in der Rue des Beaux-Arts in Paris erste Kachina erworben. Sie lösten den entscheidenden Anstoß aus und führten dazu, daß sich Antes jahrzehntelang der Erforschung der Mythen und Rituale der Hopi, Zuni sowie Navacho widmete und in diesem Zusammenhang eine entsprechend ausgestattete Bibliothek aufbaute."

43 Rudi Wolpert hat dann auch seit 1982 die Erstellung des Werkverzeichnisses betrieben und hierfür zahlreiche verstreute Werke wieder nach Freiburg zurückgeholt. Er blieb Bert Jäger bis zu dessen Tod eng verbunden.

44 Ursula Binder-Hagelstange: Der Maler Bert Jäger. Zu einer Ausstellung im Freiburger Kunstverein. Frankfurter Allgemeine Zeitung. 2. 8. 1961.

45 Dr. K. Besch: Weg zur Art-Informel. Das Werk Bert Jägers im Freiburger Kunstverein. Badische Neueste Nachrichten. Karlsruhe. 7. 8. 1961.

46 Siegfried Bröse: Konstruktive Bildwelt. Porträt des badischen Malers Bert Jäger. Badische Neueste Nachrichten. Karlsruhe, 28. 9. 1963: „Die Farbe wird nicht mehr in konstruierte, geometrische Formen gebunden, sondern zeigt unverhüllt den freien, mehr oder weniger breiten, kräftigen Pinselstrich. Man pflegt diesen Stil als Art-Informel d. h. als unausdrückliche, als nicht förmlich gebundene Kunst zu bezeichnen. Es ist aber nicht die reine, ungezügelte Fleckenmalerei (Tachismus), die Jäger entwickelt, sondern das, was man strukturellen Informel (oder Cool-Painting) nennt.." Dieser Text ist der erste biografische Rückblick auf Bert Jäger.

47 vgl. im Ausst. Kat. Bert Jäger. Bilder 1961-1964. Freiburg 1986, die Gouache Kat. Nr. 22, S. 34.

48 vgl. dort Kat. Nr. 27, S. 38.

49 hk in der Stuttgarter Zeitung vom 7. 12. 1962. Der Rezensent notiert in seinem Bericht Siegfried Bröses „philosophischen Exkurs, dessen einzelne Stationen durch Pindar, Hölderlin und Heidegger markiert wurden. Bei Jäger, so führte Bröse aus, erhalte der Malvorgang den ‚Charakter der Stille', aus der ‚zunächst verwirrenden Aktion des Malwerks schaut Klarheit des Geheimnisvollen heraus."

50 Schon seit August 1961 lockerten sich in den Arbeiten auf Papier die Bindungen eines all-over-Geflechts zugunsten von Einzelteilen im Sinne einer autonomen Figuration innerhalb der Gesamtkomposition. Vgl. Ausst. Kat. Freiburg 1986, Kat. Nr. 25 vom 1.8..und Kat. Nr. 24 vom 30. 8. 1961, Abb. S. 36.

51 In der Malerei ist diese Entwicklung erst 1962 im Wechsel etwa von „Tunja", Kat. Nr. 9, S. 19, zu „Ci-Cît", Kat. Nr. 14, S. 25 im Ausst. Kat. Freiburg 1996 erkennbar.

52 Rolf Kühn: Kunst als verfleischlichte Leiblichkeit. Kulturelles Bedürfnis und Ästhetik. In: Zeitschrift für Ästhetik und allgemeine Kunstwissenschaft, XXXVIII/2, 1993, S. 159.

53 Bert Jäger im Gespräch am 16. 12. 1994.

54 Claude Lévi-Strauss: Das wilde Denken. Frankfurt am Main 1968, S.21: „Die Forderung nach Ordnung ist die Grundlage des Denkens, das wir das primitive nennen, aber nur insofern, als es die Grundlage jedes Denkens ist: denn unter dem Blickwinkel der gemeinsamen Eigenschaften finden wir zu den Denkformen, die uns sehr fremd sind, leichter Zugang." Dieser Text wurde 1962 in Paris publiziert.

55 Claude Lévi-Strauss: Das wilde Denken. Frankfurt am Main 1968, S. 31.

56 Claude Lévy-Strauss: Das wilde Denken. Frankfurt am Main, S. 35.

57 Ludwig Wittgenstein: Philosophische Untersuchungen. In: Ludwig Wittgenstein. Schriften. Bd. 1. Frankfurt am Main 1969, S. 447: „Wenn man aber sagt: ‚Wie soll ich wissen, was er meint, ich sehe ja nur seine Zeichen', so sage ich: ‚Wie soll er wissen, was er meint, er hat ja auch nur seine Zeichen'." 1968, S. 35.

58 Bert Jäger im Gespräch am 8. 5. 1995.

59 Anläßlich der Neuerwerbung der Staatlichen Kunsthalle Karlsruhe: Garlaban, 1964, Inv. Nr. Lg 1457, entstand am 28. 10. 1994 in Freiburg unser gemeinsamer Text: „Bert Jäger kam aus praktischen Gründen zu einer literarischen Bildbezeichnung. Titel wie Konstruktion oder Komposition mit Nummernfolgen würden die Bilder nicht unterscheidbar werden lassen: Ein Wort hebt sich besser ab. Garlaban ist nicht erfunden, wahrscheinlich handelt es sich um ein lateinamerikanisches Wort ohne konkreten Bezug zum Bild." Siehe auch Best. Kat. :Neuerwerbungen für die Gemäldegalerie 1984-1994. Karlsruhe 1994, S. 60f. Grundbestandteil ist das spanische Verb für schwätzen.

60 Paraphrasierung der Kritik von „hk" vom 7.12. 1962.

61 K. Besch: Eingelagerte Formen. Der Maler Bert Jäger im Freiburger Kunstmuseum. Badische Neueste Nachrichten. Karlsruhe, 23. 4. 1964. Kritisierte Besch lediglich die

Collageteile, da er dem Koloristen Jäger auch deren malerische Veränderung zubilligt, gab es am 7. April 1964 in der Stuttgarter Zeitung einen Verriß: „Die Ausgewogenheit und Geschlossenheit seiner früheren Arbeiten ist völlig aufgegeben zugunsten eines wilden und offenbar recht willkürlichen Umgangs mit vielen Farben, die auf großen Leinwänden ein wenig überzeugendes Konglomerat bilden." (bu).

62 Dies verbindet sie wiederum mit Cy Twombly.

63 K. Besch, Badische Neueste Nachrichten (BNN). Karlsruhe, 23. 4. 1964: „In den besten Bildern der Austellung ist die malerische Gestaltung des neuen Wirklichkeitsbezugs sublimiert zu einer ausgewogenen Komposition leuchtend warmer Farbformen, zu einem bei aller Fülle der rhythmischen Bewegung und lebhaften Farbtöne in sich gehaltenen Ganzen, zu einer räumlichen Tiefenschichtung mit Hilfe farbiger Formen, die unendlich viel poetischer ist als die durch Collagetechnik erreichte. Hier kommt auch Bert Jägers besondere Begabung, schon in der Farbe allein sich völlig auszudrücken, gut zur Geltung."

64 Vgl. Ausst. Kat. Künsterbund Baden-Württemberg. Stuttgart 1968, Abb. S. 137; Ausst. Kat. Künstlerbund Baden-Württemberg. Karlsruhe 1969, S. 30. Eva-Maria Schumann-Bacia: „Da che altro potrebbe disperdere la vita?" - Die neue Heftigkeit der Bilder von Bert Jäger 1988-1991. In: Ausst. Kat. Bert Jäger. Malerei 1988-1991. Freiburg 1992, o. S., suchte nach psychischen Ursachen und nannte diese Bilder „obsessiv verfolgte, erotische Phantasien.. Und weil er infolge dieses neuen Mediums den Kontakt zu sich verloren hatte, meldeten sich körperliche Versehrtheiten wieder zu Wort: Augen und Beine, die ihm den Dienst versagten."

65 Volker Bauermeister. Rezension der Ausstellung Bert Jäger. Bilder 1961-1964. In: Das Kunstwerk, Jg. XL. H. 2, Mai 1987, S. 80: „Man sieht ihn das Bild Belastungsproben aussetzen, an denen es tatsächlich zerbrechen kann. Jahre vor dem Ende der Malerei Jägers blendet sich die Ausstellung aus der Darstellung der Ereignisse aus; ‚Satiren' habe er noch eine Zeitlang gemalt, sagt der Maler."

66 Dr. K., BNN, 23. 4. 1968: „Es fällt auch Bert Jäger in einem ‚PSEB' bezeichneten Bild auf, das eine Gemüsefrucht zum malerischen Vorbild hatte und nun mit deren Relikten Komposition wurde."

67 Allein noch ein paar Werke auf Papier und die Aufträge für „Kunst am Bau" führt er bis 1970 aus. Sie sind nicht im Ausst. Kat. Bert Jäger. Retrospektive 1940-1994. Freiburg 1994 enthalten, obwohl das Werkverzeichnis bis auf „Moabdar", 1968, 115 x 100 cm, Acryl auf Leinwand, alle Werke bis 1968 enthält.

68 tp (Toni Peter Kleinhans): Kunst aus Südbaden - Vangis Menschenbilder. BNN, 9. 11. 1970: „Bei den Bildern des heute 51jährigen Jäger überrascht vor allem die rhythmische Vitalität der Form, die durch eine schon plastisch wirkende Farbgebung den Rahmen zu sprengen droht und nur vage noch an die Wirklichkeit der hier weitgehend entrückten Dingwelt erinnert."

69 „Handstand", 32 x 28, 5 cm, „Einer von den netten Generälen", 31 x 29 cm, beide 1970. Siehe Ausst. Kat. Künstlerbund Baden-Württemberg. Ulm 1970, S. 73; S. 74 Abb. von „Handstand".

70 1976 kommt sein Buch: Spießrutenlaufen. Erzählungen. Parmänenpresse. Freiburg i. Br. mit schwarz-weißen „Gebrauchsgraphiken" heraus.

71 Bert Jäger im Gespräch am 8. 5. 1995.

72 Volker Bauermeister: Rezension zu Bert Jäger. Bilder 1961-1964. Das Kunstwerk, 2, XL, Mai 1987, S. 79.

73 Bert Jäger im Gespräch am 8. 5. 1995. Siehe auch den Brief vom 30. 6. 1997 im Ausst. Kat. Tonspur. Freiburg 1998, o. S.: „Beim Arbeiten selbst kann ich Musik jedoch auf keinen Fall gebrauchen, da bin ich sehr geräuschempfindlich und vollkommen auf Stille angewiesen."

Jochen Ludwig

Zu Hause, dort, hier

Erinnerungen an Bert Jäger

Als ich im September 1986 das schmale Treppenhaus zu Bert Jägers Wohnung in der Freiburger Turmstraße hochstieg, hatte ich seine Bilder schon gesehen. In einer alten Lagerhalle waren sie seit Jahren von Rudi Wolpert zusammengetragen und aufbewahrt worden. Etwa 100 an der Zahl, ausgenommen die Arbeiten auf Papier, wirkten sie auf mich, wie sie so im Dämmerlicht vor den Wänden und Regalen lehnten, wie schlafende Zeugen der Unvernunft. Unvernunft deshalb, weil da Anfang der 60er Jahre ein Maler allem marktorientierten Kalkül entgegengearbeitet zu haben schien. Und weil die Gefahr, in der Nachhut des abstrakten Expressionismus verlorenzugehen, offensichtlich keine Rolle gespielt hatte. Um so überraschender war, mit welcher Sicherheit und Konsequenz sich diese Malerei selbst formulierte. Die Entscheidung, diesen Werkblock im Museum für Neue Kunst in Freiburg i. Br. auszustellen und damit aus einem größeren zeitlichen Abstand bewerten zu können, fiel augenblicklich. Bert Jäger hatte seine Zustimmung jedoch nur zögernd gegeben. Nun war ich gespannt auf unser erstes längeres Gespräch.

Da galt erst mal die künstlerische Gegenwart, das Fotografieren und das Schreiben. Jäger schildert, wie er mit einer einfachen, kleinen Kamera arbeitet, zum Teil mit einer selbst gebauten Attrappe, um sie verstecken zu können beim Druck auf den Auslöser. Die Vorstellung, als Tourist zu erscheinen, ist ihm unangenehm, ja peinlich. Sein Thema ist die Reduktion, die Leere. Alltagsmotive, Zufälligkeiten interessieren ihn. Er ist überrascht, fast ungläubig, als er merkt, daß er selbst mit Krücken fotografieren kann. Er sagt: „Ich kann mich blitzschnell konzentrieren." Das war ihm schon bei der Malerei zugute gekommen. Die spontane, wie unvorbereitet wirkende Geste des Informel. Plötzlich sind wir da, wo ich hinwollte. Die Zeit, als er „im Bild" war, wie er es nennt. Das Problem der Angst vor der leeren Fläche war ihm immer fremd gewesen. Die notwendigen Vorbereitungen, das Aufspannen der Leinwand etwa oder das Grundieren hatte er auch als innere Annäherung an den künstlerischen Prozeß empfunden. Bei der Zeichnung fiel ihm das Beginnen schwerer. Das war wie ein Sprung ins Weiß des Blattes, mit allem Risiko der ersten falschen, nicht mehr zu korrigierenden Setzung. Mehr ist da nicht an Hinweisen auf seine Arbeit. Gerade noch die Bemerkung, daß er als Mitglied der „Hängekommission" des Freiburger Kunstvereins mit neueren Tendenzen der Nachkriegsabstraktion in Berührung gekommen war, daß seine künstlerischen Vorbilder aber viel weiter zurückliegen: Poussin etwa oder Courbet mit seinem Riesengemälde „Ein Begräbnis in Ornans" von 1850.

Der Abstand zu diesen Jahren ist fast körperlich zu spüren. Bert Jäger spricht wie ein Zeitzeuge. Seine damalige Entwicklung hin zur Pop Art begründet er mit zunehmender Unbeweglichkeit, als die Beine langsam schlechter wurden, er immer weniger in der Lage war, sich in der ganzen Körperbewegung bildnerisch mitzuteilen. Meine Frage nach Wehmut, vielleicht sogar Bitterkeit angesichts des erzwungenen Endes seiner Malerei verneint er, ja scheint sie eigentlich gar nicht zu verstehen. Lapidar meint er: „Das Schreiben macht keinen großen Unterschied". Mehr nicht. Nur, daß ein Roman am Entstehen sei, „etwas Längeres", wie er sagt.

Bert Jäger wirkte in diesem Gespräch sehr gegenwärtig: gelassen dem Vergangenen gegenüber, kraftvoll und intensiv, was seine derzeitige Arbeit betraf. Die geplante Ausstellung schien er zwar zunehmend zu akzeptieren, doch eher so, wie man eine gut gemeinte, aber aussichtslose Unternehmung mit innerer Distanz begleitet. Ich verließ ihn mit einer Mischung aus Enttäuschung und Erleichterung. Wenigstens legte er uns keine Steine in den Weg.

In den wenigen Wochen bis zur Ausstellung, auch während des Aufbaus, ließ Bert Jäger sich nicht mehr blicken. Als die Menschen dann zur Eröffnung strömten, schien er fast zu verschwinden zwischen all den Freunden und Bekannten. So wie seine Bilder. Nach den Reden stand er mit dem Rücken zur Wand. Plötzlich war die Vergangenheit Gegenwart geworden, war er konfrontiert mit den Farbzügen, den Kraftzeichen, den zarten Geflechten, die mühelos, ja völlig selbstverständlich alles Retrospektive abgeschüttelt hatten und Sehschneisen durch die Menge schlugen, bis der letzte Besucher die Räume verlassen hatte. Wie unvernünftig, die Bilder allein mit ihrem Maler, ganz ohne Publikum, doch das mußte jetzt endlich so sein, im Museum, nach 22 Jahren, sie wollten ihn einfach wieder bei sich haben.

Natürlich dachten wir daran, daß er vielleicht neu beginnen könnte. Aber als sie dann, ein gutes Vierteljahr nach diesem Abend, tatsächlich da war, die Nachricht: Er zeichnet wieder!, war das wie ein Wunder für uns. Bert Jäger, glaub' ich, hat es ganz anders empfunden. Er hat einfach angefangen, probiert, wie es sich anfühlt, das Papier zwischen den Fingern.. Wie es klingt, wenn der Bleistift, die Farbkreide, der Tuschpinsel staksig und zögernd oder weich und flüssig die Fläche überziehen, wie sie aussehen, die Punkte, Linien, Flecken und Bahnen auf dem eben noch leeren Grund, was wird, wenn die zeichnende Hand das Denken überholt, das scheinbar abgesicherte Terrain kompositioneller Vorstellungen erobert. Er hat sich einfach hingesetzt, das Blatt aus der Schreibmaschine gezogen, es glattgestrichen in die Fläche und nachgegeben. So könnte es gewesen sein, als Bert Jäger wieder anfing, Bilder zu machen.

Im Januar 1988, ein Jahr nach dem Ende der Ausstellung im Freiburger Museum für Neue Kunst, trafen wir uns wieder zu einem Gespräch. Anlaß war eine geplante Ausstellung bei Rolf Ohse in Bremen. Den Roman, den er bei unserer ersten Begegnung erwähnt hatte, wollte er nun bald beenden. Das klang wie ein verzögerter Abschied. Das Schreiben, die Textur der Wörter nochmal als Netz, das einen Sturz auffangen könnte. Seit er wieder zeichnete, fühlte er sich wie in einem ständigen Reizzustand. Die Krise als Wendepunkt, als Beginn einer zweiten künstlerischen Biographie. Die ersten Blätter mißlingen. Doch über ein geschriebenes Wort, eine sprachliche Assoziation oder einen aufgeklebten Zeitungsausschnitt, über feinste Figurationen, aber auch kräftige Farbakzente gewinnt der Werkprozess an Sicherheit, kommen der Mut und die Lust wieder. Er spricht von der Ausschließlichkeit des Malens. „Ich kann das nur ganz machen." Nichts mehr nebenher. Und: „Ich war nie ein Theoretiker." Alle Fragen nach einer konzeptuellen Begründung seiner stilistischen Orientierung weist er zurück. Freilich, die Nähe zum Anfang der 60er Jahre ist unübersehbar, doch genauso augenfällig ist es, wie er sich freimalt von dem jetzt doch fast museal wirkenden Werkblock, wie er seine neuen Arbeiten, ohne zurückzublicken, ja mit frappierender Rücksichtslosigkeit aller artifiziellen Sentimentalität gegenüber, hineinmalt in die Bilderwelt der 80er Jahre. Und wie er die Professionalisierung der spontanen Geste, dieses Umkippen von Entäußerung in Routine, diese so schnell kommerzialisierte Wildheit Lügen straft mit seinem neuen Start. Die kleinen Formate reichen längst nicht mehr aus. Er malt jetzt im Stehen, gestützt auf die Tischplatte. Es sind Querformate, weil er dann besser hinreicht. Und es sollen wieder Leinwandbilder werden. Wie müßte ein Gestell beschaffen sein, das ihn halten könnte, wenn er mit großen, schnellen Bewegungen den Pinsel führt?

Das Malen wurde für Bert Jäger bald wieder zur Notwendigkeit, zur notwendigen Gewohnheit. 1987 richtete er sich in Pietrabruna an der Ligurischen Küste ein Atelier ein, in dem er während vieler langer Aufenthalte bis 1992 arbeitete. 1990 mietete er sich ein Atelier im Freiburger E-Werk, den Hallen für Kunst. Manchmal trafen wir uns auf der Straße, vor dem Museum, in Ausstellungen, er mit Gis Geffers, die ihn, sein Leben seit 1975 begleitete. Die Szenen der Kunst und der Politik verfolgte er mit engagierter Skepsis, bisweilen mit Spott. So schien es mir jedenfalls. Wir begegneten uns auf der Promenade von Bordighera. „Hier in Italien singe ich immer." So oft wie möglich fuhren sie in ihr Bergdorf am Mittelmeer. Die Titel klingen nach italienischen Träumen. Weniger Wortfindungen als früher. Nah an der Wirklichkeit. Wie Kapitelüberschriften einer neuen Geschichte. Er erzählte sie auf Bildern, die, auf dem Boden stehend, ihm manchmal über die Augen reichten. Unbändig, entschieden, sanft. Bert Jäger wandte seinen Blick nicht mehr ab. Er war jetzt ganz zu Hause, dort, hier.

Kat. Nr. 4, Ohne Titel, 19.7.61

Kat. Nr. 1, Ohne Titel, 1961

Kat. Nr. 3, Ohne Titel, 1961

Kat. Nr. 5, Ohne Titel, 1.8.61

Kat. Nr. 2, Ohne Titel, 1961

Kat. Nr. 7, Ohne Titel, 11.4.62

Kat. Nr. 6, Ohne Titel, 10.4.62

Kat. Nr. 8, Ohne Titel, 11.4.62

Kat. Nr. 9, Ohne Titel, 18.12.62

Kat. Nr. 10, Ohne Titel, 13.1.63

Kat. Nr. 14, Ohne Titel, 7.10.63

Kat. Nr. 11, Ohne Titel, 23.2.63

Kat. Nr. 13, Ohne Titel, 31.8.63

Kat. Nr. 12, Birthday Face, 15.8.63

Kat. Nr. 15, Ohne Titel, 28.5.64

Kat. Nr. 16, Ohne Titel, 29.5.64

Kat. Nr. 17, Ohne Titel, 11.3.87

Kat. Nr. 18, Ohne Titel, 16.3.87

Kat. Nr. 19, Ohne Titel, 16.3.87

Kat. Nr. 20, Ohne Titel, 9.6.87

Kat. Nr. 21, Ohne Titel, 3.8.87

Kat. Nr. 22, Ohne Titel, 9.12.87

Kat. Nr. 23, Ohne Titel, 15.12.87

Kat. Nr. 24, Corsa semplice, 9.2.88

Kat. Nr. 25, Entrare in casa gia pronta, 27.5.88

Kat. Nr. 26, La pazzia d'essere vivo II, 23.7.88

Kat. Nr. 27, La pazzia d'essere vivo, 25.7.88

Kat. Nr. 30, Ohne Titel, 12.9.88

Kat. Nr. 28, Ohne Titel, 5.8.88

Kat. Nr. 33, Ohne Titel, 5.11.88

Kat. Nr. 29, Ohne Titel, 15.3.88

Kat. Nr. 36, Artaud, 13.2.90

Kat. Nr. 31, Ohne Titel, 24.9.88

Kat. Nr. 32, La prima mela e la seconda, 27.9.88

Kat. Nr. 34, Ohne Titel, 19.4.89

Kat. Nr. 38, Orient Express, 23.1.91

Kat. Nr. 35, Aperto anche la domenica, 26.10.89

Kat. Nr. 37, Ohne Titel, 3.3.90

Kat. Nr. 39, Ohne Titel, 1.2.91

Kat. Nr. 40, Ohne Titel, 11.5.91

Kat. Nr. 41, Ohne Titel, 24.3.92

Kat. Nr. 45, Ohne Titel, 17.11.92

Kat. Nr. 42, Muso, 15.7.92

Kat. Nr. 44, Ohne Titel, 16.11.92

Kat. Nr. 43, O Schwarzwald, o Heimat, 6.11.92

Kat. Nr. 47, Ohne Titel, 20.1.93

Kat. Nr. 46, Ohne Titel, 13.1.93

Kat. Nr. 49, Ohne Titel, 16.7.93

Kat. Nr. 48, Ohne Titel, 22.1.93

Kat. Nr. 51, Mela, 22.11.94

Kat. Nr. 50, Ohne Titel, 21.7.93

Kat. Nr. 52, Ohne Titel, 2.6.95

Kat. Nr. 53, Ohne Titel, 2.9.96

Kat. Nr. 54, Ohne Titel, 12.9.96

Kat. Nr. 56, Ohne Titel, 3.6.97

Kat. Nr. 55, Ohne Titel, 16.5.97

Kat. Nr. 58, Ohne Titel, 23.2.98

Kat. Nr. 59, Herr K. sieht eine Kirche in M., 23.2.98

Kat. Nr. 60, Ohne Titel, 24.2.98

Kat. Nr. 61, Ohne Titel, 25.2.98

Kat. Nr. 57, Ohne Titel, 17.2.98

Kat. Nr. 63, Ohne Titel, 25.2.98

Kat. Nr. 62, Ohne Titel, 25.2.98

Kat. Nr. 64, Ohne Titel, 27.2.98

Kat. Nr. 65, Ohne Titel, 9.3.98

Kat. Nr. 66, Ohne Titel, 11.3.98

Kat. Nr. 67, Ohne Titel, 17.3.98

Kat. Nr. 68, Ohne Titel, 17.3.98

Kat. Nr. 69, Ohne Titel, 18.3.98

Kat. Nr. 70, Gregor Samsa, 26.3.98

Kat. Nr. 71, Ohne Titel, 27.3.98

Kat. Nr. 72, Ohne Titel, 27.3.98

Kat. Nr. 73, Ohne Titel, 27.3.98

Kat. Nr. 74, Ohne Titel, 1.4.98

Kat. Nr. 75, Ohne Titel, 11.4.98

Katalog[74]

1
Ohne Titel
1961
Gouache/Kreide auf Zeitung
38,6 x 28,4 cm
WV 147
Privatsammlung, Freiburg i. Br.

2
Ohne Titel
1961
Gouache auf Papier
69,5 x 48,0 cm
WV 148
Privatbesitz Freiburg i. Br.

3
Ohne Titel
1961
Gouache/Kreide auf Papier
35,8 x 47,8 cm
WV 149
Privatsammlung, Freiburg i. Br.

4
Ohne Titel
19.7.61
Gouache/Kreide auf Zeitung
39,0 x 28,2 cm
WV 176
Privatsammlung, Freiburg i. Br.

5
Ohne Titel
1.8.61
Gouache auf Papier
35,7 x 47,8 cm
WV 178
Privatsammlung, Freiburg i. Br.

6
Ohne Titel
10.4.62
Tusche auf Papier
41,0 x 29,5 cm
WV 287
Privatsammlung, Freiburg i. Br.

7
Ohne Titel
11.4.62
Tusche/Kreide auf Papier
40,5 x 29,5 cm
WV 291
Privatsammlung, Freiburg i. Br.

8
Ohne Titel
11.4.62
Tusche auf Papier
41,0 x 29,5 cm
WV 292
Privatsammlung, Freiburg i. Br.

9
Ohne Titel
18.12.62
Tusche/Aquarell auf Papier
45,0 x 66,0 cm
WV 330
Privatbesitz, Karlsruhe

10
Ohne Titel
13.1.63
Tusche/Aquarell auf Papier
45,0 x 66,0 cm
WV 362
Privatsammlung, Freiburg i. Br.

11
Ohne Titel
23.2.63
Tusche auf Papier
45,0 x 66,0 cm
WV 372
Privatsammlung, Freiburg i. Br.

12
Birthday Face
15.8.63
Gouache/Kreide auf Malkarton
41,0 x 41,0 cm
WV 383
Privatsammlung, Freiburg i. Br.

13
Ohne Titel
31.8.63
Gouache auf Papier
44,8 x 32,8 cm
WV 384
Privatbesitz, Freiburg i. Br.

14
Ohne Titel
7.10.63
Tusche auf Papier
45,0 x 66,0 cm
WV 390
Privatbesitz, Freiburg i. Br.

15
Ohne Titel
28.5.64
Gouache/Kreide auf Papier
65,5 x 45,0 cm
WV 424
Privatbesitz, Freiburg i. Br.

16
Ohne Titel
29.5.64
Gouache/Kreide auf Papier
65,5 x 45,0 cm
WV 425
Privatsammlung, Freiburg i. Br.

17
Ohne Titel
11.3.87
Gouache/Tusche/Kreide auf Papier
36,0 x 48,0 cm
WV 496
Privatsammlung, Freiburg i. Br.

18
Ohne Titel
16.3.87
Gouache/Tusche/Kreide auf Papier
36,0 x 48,0 cm
WV 497
Privatsammlung, Freiburg i. Br.

19
Ohne Titel
16.3.87
Gouache/Tusche/Kreide auf Papier
32,8 x 47,5 cm
WV 498
Privatsammlung, Freiburg i. Br.

20
Ohne Titel
9.6.87
Gouache/Kreide/Bleistift auf Papier
36,0 x 48,0 cm
WV 507
Privatbesitz Jeutter

21
Ohne Titel
3.8.87
Gouache/Kreide/Bleistift auf Papier
33,0 x 48,0 cm
WV 525
Privatsammlung, Freiburg i. Br.

22
Ohne Titel
9.12.87
Gouache/Kreide/Bleistift auf Papier
51,0 x 73,0 cm
WV 578
Privatsammlung, Freiburg i. Br.

23
Ohne Titel
15.12.87
Collage/Gouache/Kreide auf Papier
51,0 x 73,0 cm
WV 580
Privatsammlung, Freiburg i. Br.

24
Corsa semplice
9.2.88
Collage/Gouache/Kreide auf Papier
51,0 x 73,0 cm
WV 616
Privatsammlung, Freiburg i. Br.

25
Entrare in casa gia pronta
27.5.88
Acryl/Kreide auf Papier
100,0 x 140,0 cm, 2-teilig
WV 675
Privatbesitz, Freiburg i. Br.

26
La pazzia d'essere vivo II
23.7.88
Acryl auf Papier, 2-teilig
100,0 x 140,0 cm
WV 715
Privatbesitz, Basel

27
La pazzia d'essere vivo
25.7.88
Acryl/Kreide auf Papier, 2-teilig
100,0 x 140,0 cm
WV 716
Sparkasse, Freiburg i. Br.

28
Ohne Titel
5.8.88
Gouache/Kreide/Bleistift auf Papier
60,5 x 85,5 cm
WV 726
Privatbesitz, Sölden

29
Ohne Titel
15.8.88
Collage/Gouache/Kreide/Bleistift auf Papier
50,0 x 34,5 cm

WV 728
Privatsammlung, Freiburg i. Br.

30
Ohne Titel
12.9.88
Collage/Gouache/Kreide/Bleistift auf Papier
69,0 x 99,0 cm
WV 750
Privatsammlung, Freiburg i. Br.

31
Ohne Titel
24.9.88
Gouache/Kreide auf Papier
69,0 x 99,0 cm
WV 758
Privatsammlung, Freiburg i. Br.

32
La prima mela e la seconda
27.9.88
Collage/Gouache/Kreide auf Papier
69,0 x 90,0 cm
WV 757
Privatsammlung, Freiburg i. Br.

33
Ohne Titel
5.11.88
Gouache/Kreide/Bleistift auf Papier
60,0 x 85,0 cm
WV 771
Privatbesitz, Freiburg i. Br.

34
Ohne Titel
19.4.89
Gouache/Kreide auf Papier
69,0 x 99,0 cm
WV 903
Privatsammlung, Freiburg i. Br.

35
Aperto anche la domenica
26.10.89
Bleistift, Tusche, Stempelfarbe und Gouache auf Papier
34,0 x 47,0 cm
WV 1006
Privatbesitz, Karlsruhe

36
Artaud
13.2.90
Collage/Gouache/Kreide auf Papier
69,0 x 95,0 cm
WV 1123
Privatsammlung, Freiburg i. Br.

37
Ohne Titel
3.3.90
Gouache auf Papier
68,9 x 97,3 cm
WV 1138
Privatsammlung, Freiburg i. Br.

38
Orient Express
23.1.91
Collage/Gouache/Kreide auf Papier
70,0 x 100,0 cm
WV 1227
Privatsammlung, Freiburg i. Br.

39
Ohne Titel
1.2.91
Gouache/Kreide/Bleistift auf Papier
70,0 x 100,0 cm
WV 1228
galerie pro arte, Freiburg i. Br.

40
Ohne Titel
11.5.91
Aquarell/Kreide/Bleistift auf Papier
70,0 x 100,0 cm
WV 1259
Privatsammlung, Freiburg i. Br.

41
Ohne Titel
24.3.92
Collage/Gouache/Kreide auf Papier
70,0 x 100,0 cm
WV 1440
Privatsammlung, Freiburg i. Br.

42
Muso
15.7.92
Gouache/Kreide auf Papier
62,8 x 88,0 cm
WV 1479
Privatsammlung, Freiburg i. Br.

43
O Schwarzwald, o Heimat
6.11.92
Collage/Gouache/Kreide/Bleistift auf Papier
62,8 x 88,0 cm
WV 1496
Privatsammlung, Freiburg i. Br.

44
Ohne Titel
16.11.92
Collage/Gouache auf Papier
70,0 x 100,0 cm
WV 1503
Privatbesitz, Freiburg i. Br.

45
Ohne Titel,
17.11.92
Collage/Gouache/Kreide auf Papier
70,0 x 100,0 cm
WV 1504
Privatsammlung, Freiburg i. Br.

46
Ohne Titel
13.1.93
Collage/Gouache/Kreide auf Papier
70,0 x 100,0 cm
WV 1542
Privatsammlung, Freiburg i. Br.

47
Ohne Titel
20.1.93
Collage/Gouache/Kreide auf Papier
70,0 x 100,0 cm
WV 1549
Privatbesitz, Freiburg i. Br.

48
Ohne Titel
22.1.93
Gouache/Kreide auf Papier
62,8 x 88,0 cm
WV 1550
Privatsammlung, Freiburg i. Br.

49
Ohne Titel
16.7.93
Collage/Gouache/Kreide auf Papier
62,8 x 88,0 cm
WV 1564
Privatsammlung, Freiburg i. Br.

50
Ohne Titel
21.7.93
Collage/Gouache/Kreide auf Papier
62,8 x 88,0 cm
WV 1569
Privatsammlung, Freiburg i. Br.

51
Mela
22.11.94
Collage/Gouache/Kreide auf Papier
70,0 x 100,0 cm
WV 1661
Privatsammlung, Freiburg i. Br.

52
Ohne Titel
2.6.95
Collage/Gouache/Kreide auf Papier
70,0 x 100,0 cm
WV 1727
Privatsammlung, Freiburg i. Br.

53
Ohne Titel
2.9.96
Kreide/Bleistift auf Papier
29,7 x 42,0 cm
nicht im Werkverzeichnis
Privatbesitz, Freiburg i. Br.

54
Ohne Titel
12.9.96
Kreide/Bleisitft auf Papier
29,7 x 42,0 cm
nicht im Werkverzeichnis
Privatbesitz, Freiburg i. Br.

55
Ohne Titel
16.5.97
Gouache/Kreide/Bleistift auf Papier
29,8 x 42,0 cm
WV 1864
Privatbesitz, Freiburg i. Br.

56
Ohne Titel
3.6.97
Gouache/Tusche auf Papier
29,8 x 42,0 cm
WV 1883
Privatbesitz, Freiburg i. Br.

57
Ohne Titel
17.2.98
Gouache/Tusche/Kreide/Bleisitft auf Papier
29,6 x 42,0 cm
WV 1907
Privatsammlung, Freiburg i. Br.

58
Ohne Titel
23.2.98
Gouache/Kreide auf Papier
30,0 x 40,0 cm
WV 1917
Privatsammlung, Freiburg i. Br.

59
Herr K. sieht eine Kirche in M.
23.2.98
Gouache/Kreide/Bleistift auf Papier
296 x 42,0 cm
WV 1918

Privatsammlung, Freiburg i. Br.

60
Ohne Titel
24 2.98
Gouache/Kreide/Bleistift auf Papier
30,0 x 40,0 cm
WV 1922
Privatsammlung, Freiburg i. Br.

61
Ohne Titel
25.2.98
Gouache/Kreide auf Papier
29,6 x 42,0 cm
WV 1924
Privatsammlung, Freiburg i. Br.

62
Ohne Titel
25.2.98
Gouache/Kreide auf Papier
29,6 x 42,0 cm
WV 1926
Privatsammlung, Freiburg i. Br.

63
Ohne Titel
25.2.98
Gouache/Kreide auf Papier
29,6 x 42,0 cm
WV 1927
Privatsammlung, Freiburg i. Br.

64
Ohne Titel
27.2.98
Gouache/Kreide auf Papier
29,6 x 42,0 cm
WV 1928
Privatsammlung, Freiburg i. Br.

65
Ohne Titel
9.3.98
Gouache/Kreide auf Papier
29,6 x 42,0 cm
WV 1953
Privatsammlung, Freiburg i. Br.

66
Ohne Titel
11.3.98
Gouache/Kreide/Bleistift auf Papier
34,0 x 47,3 cm
WV 1955
Privatbesitz, Freiburg i. Br.

67
Ohne Titel
17.3.98
Gouache/Kreide auf Bütten
36,0 x 48,0 cm
WV 1969
Privatsammlung, Freiburg i. Br.

68
Ohne Titel
17.3.98
Gouache/Kreide auf Bütten
36,0 x 48,0 cm
WV 1970
Privatsammlung, Freiburg i. Br.

69
Ohne Titel
18.3.98
Gouache/Kreide auf Bütten
36,0 x 48,0 cm
WV 1972
Privatsammlung, Freiburg i. Br.

70
Gregor Samsa
26.3.98
Gouache/Kreide auf Bütten
36,0 x 48,0 cm
WV 1985
Privatsammlung, Freiburg i. Br.

71
Ohne Titel
27.3.98
Gouache/Kreide auf Bütten
36,0 x 48,0 cm
WV 1987
Privatsammlung, Freiburg i. Br.

72
OhneTitel
27.3.98
Gouache/Kreide auf Bütten
36,0 x 48,0 cm
WV 1988
Privatsammlung, Freiburg i. Br.

73
Ohne Titel
27.3.98
Gouache/Kreide auf Bütten
36,0 x 48,0 cm
WV 1989
Privatsammlung, Freiburg i. Br.

74
Ohne Titel
1.4.98
Gouache/Kreide auf Bütten
36,0 x 48,0 cm
WV 1994
Privatsammlung, Freiburg i. Br.

75
Ohne Titel
11.4.98
Gouache auf Papier
41,8 x 59,3 cm
WV 2014
Privatbesitz, Freiburg i. Br.

74 Alle Werke sind signiert und datiert mit Jäger und dem als Datum angegebenen Jahr. Daher wurde auf die spezielle Ausweisung von sig. u. dat. im Katalog verzichtet.

Biographie

1919
Am 11. Januar geboren in Karlsruhe

1934-36
Studium an der Karlsruher Akademie bei Georg Siebert und Siegfried Cerny

1936-39
Studium bei Herrmann Goebel an der Karlsruher Akademie

1937
Besuch der Ausstellung „Entartete Kunst“ in München

1939-44
Soldat

1942
Studium bei Herbert Boeckl an der Akademie in Wien

1944-49
Gefangenschaft in Russland

1949
In Freiburg. Mitglied der „Jungen Gruppe Freiburg“, des „Berufsverbands Bildender Künstler Südbaden“ und der „Jungen Gruppe Baden“[75]
Zahlreiche Reisen, vor allem nach Paris und Italien

1954
Mitglied der „Freien Gruppe Oberrhein“.
Mitglied im Kunstverein, bald in dessen Hängekommission

1958
Weltausstellung. Brüssel
Wandbild, Innenministerium, Stuttgart

1959
Keramikwand mit Richard Bampi, Arbeitsamt. Freiburg i. Br.
Teilnahme an der Handwerkermesse, München
Besuch der documenta II, Kassel

1960
Mitbegründer der „Galerie 61“, Freiburg i. Br.
Hannover-Messe

1961
Keramikwand, Mensa I der Universität. Freiburg i. Br. (in der Karlsruher Majolika gefertigt)
Glasbetonwand. Eingangshalle des Weinbauinstituts. Freiburg i. Br.

1963
Mitglied im Künstlerbund Baden-Württemberg bis zu seinem Tode[76]

1964
Keramikwand, Schwestern- und Personalhaus V. Universität, Freiburg i. Br. Nach Umbau zu 60 % unter Putz
Tafelbild. Hygienisches Institut. Aufenthaltsraum. Universität, Freiburg i. Br.
Tafelbild. Carl-Schurz-Haus. Freiburg i. Br.
Besuch der documenta III, Kassel[77]

1965
Drehbares Wandbild. OFD, Speiseraum, Freiburg i. Br.
Wandbild, Tierhygienisches Institut, Aufenthaltsraum. Universität, Freiburg i. Br.

1968
Tafelbild im Chemie III-Gebäude der Universität, Freiburg i. Br.

1969
Mißglückte Hüftgelenksoperation
Deckenbild. Kaufhofpassage. Freiburg i. Br., 1999 zerstört

1970
Wandbild, Musengeschoß, Kurhaus. Badenweiler
Tafelbild, Rotteckgymnasium. Freiburg i. Br.
Tafelbild, Psychiatrisches Landeskrankenhaus. Emmendingen
Aufgabe der Malerei

1975
Zweite Hüftgelenksoperation

1983
Augenoperation

1984
Augenoperation

1987
Wiederaufnahme der Malerei
Atelier in Pietrabruna/Ligurien bis 1992

Ab 1990
Atelier im E-Werk, Freiburg i. Br.

1994
1. Maria-Ensle-Preis der Kunststiftung Baden-Württemberg

1998
Am 2. Mai gestorben in Freiburg i. Br.

Einzelausstellungen

1961
Kunstverein Freiburg, Freiburg i. Br.

1962
Galleria XXII Marzo, Venedig
Galerie Lutz und Meyer, Stuttgart

1963
Galerie Knöll, Basel

1964
Kunstverein Freiburg, Freiburg i. Br.

1968
Galerie Gräber, Freiburg i. Br.

1969
Galerie 3, Waldshut

1970
Galerie Gräber, Freiburg i. Br.

1972
Galerie Gräber, Freiburg i. Br.

1986
Photographien 1978-1985. Augustinermuseum. Kleine Galerie, Freiburg i. Br.
Bilder 1961-1964. Museum für Neue Kunst, Freiburg i. Br.
Galerie Spiegelhalter, Freiburg i. Br.

1987
Städtische Galerie "Die Fähre", Saulgau

1988
Galerie Rolf Ohse, Bremen

1989
Alte und Neue Arbeiten. galerie pro arte, Freiburg i. Br.

1990
Galerie Pierre Rippstein, Basel

1991
Neue Bilder. Fa. Alexander Bürkle, Freiburg i. Br.
Galerie Linda Treiber, Ettenheimmünster:
Bilder (14. 4. - 20. 5.); Arbeiten auf Papier (9. 6. - 14. 7.)
Galerie Rolf Ohse, Bremen[78]

1992
Neue Arbeiten. galerie pro arte, Freiburg i. Br.
Galerie Fahlbusch, Mannheim

1993
Städtische Galerie, Tuttlingen
Galerie Wolf, Düsseldorf

1994
Galerie Pierre Rippstein, Basel
Retrospektive 1940-1994. Kunstverein Freiburg, Freiburg i. Br.:
Malerei in den Ausstellungshallen des Morat-Instituts
Malerei; Arbeiten auf Papier im Kunstverein Kirchzarten, Kirchzarten
Galerie Spiegelhalter, Freiburg i. Br.

1995
Arbeiten aus den Jahren 1961-1994. Galerie im Stettener Schloß. Lörrach-Stetten
Neue Arbeiten. Galerie Linda Treiber. Ettenheimmünster

1997
Klinikum der Albert-Ludwigs-Universität, Freiburg i. Br.

1998
Letzte Arbeiten. galerie pro arte, Freiburg i. Br.

1999
Bert Jäger in memoriam. Kunstverein Kirchzarten, Kirchzarten

Gruppenausstellungen[79]

1949
Junge Gruppe Baden. Badischer Kunstverein, Karlsruhe

1953
Bildende Hände. Baden-Württembergisches Kunstschaffen der Gegenwart, Baden-Baden

1954
Freie Gruppe Oberrhein. Kunstverein Freiburg, Freiburg i. Br. (u. a. mit W. Schelenz, G. Fruhtrunk)
Junge badische Kunst. Frühjahrsausstellung. Staatliche Kunsthalle Baden-Baden, Baden-Baden

1955
Junge Künstler Baden-Württemberg. Kunstpreis der Jugend. Staatliche Kunsthalle Baden-Baden, Baden-Baden

1957
Künstlerbund Baden-Württemberg, 5. Jahresausstellung, Mannheim[80]
II. Triennale, Mailand
Sechs junge badische Maler. Kunstverein Freiburg, Freiburg i. Br.

1958
Weltausstellung, Brüssel
Badische Künstler 1958. Staatliche Kunsthalle Baden-Baden, Baden-Baden
„réalité 58" (mit R. Dischinger, W. Kiwitz, W. Wohlschlegel, R. Schakowski, W. Schelenz, J. Schmidt). Kunstverein Freiburg, Freiburg i. Br.

1959
Handwerkermesse, München

1960
Baden-Alsace-Bâle, Guebwiller (Haut-Rhin)
Hannover-Messe, Hannover

1962
Zeitgenössische Malerei in der Europäischen Gemeinschaft. Premio Marzotto, Valdagno; Eindhoven

1963
Premio Marzotto, London
Künstlerbund Baden-Württemberg, 9. Jahresausstellung, Heidelberger Kunstverein, Heidelberg[81]
3 Freiburger Sammlungen. Kunstverein Freiburg, Freiburg i. Br. (Jochimsen, Wolpert, Zwirner)
Der Staat als Mäzen. Ankäufe des Regierungspräsidiums Südbaden. Stadthalle. Freiburg i. Br. (30. 6. -28. 7.)

1964
Künstlerbund Baden-Württemberg, 10. Jahresausstellung, Württembergischer Kunstverein, Stuttgart

1965
Bild und Bühne. Staatliche Kunsthalle Baden-Baden, Baden-Baden
Gesellschaft der Freunde Junger Kunst. 10. Jahresausstellung. Staatliche Kunsthalle Baden-Baden, Baden-Baden
Graphik aus Baden-Württemberg, Hamilton (Bermudas)
Künstlerbund Baden-Württemberg, 11. Jahresausstellung, Badischer Kunstverein, Karlsruhe[82]

1967
13 Freiburger Künstler. Kunstverein Freiburg, Freiburg i. Br.
Freiburger Künstler. Tiroler Kunstpavillon, Innsbruck
Künstlerbund Baden-Württemberg. 13. Jahresausstellung, Staatliche Kunsthalle Baden-Baden, Baden-Baden

1968
Künstlerbund Baden-Württemberg, 14. Jahresausstellung, Württembergischer Kunstverein, Stuttgart
Gesellschaft der Freunde Junger Kunst. 12. Jahresausstellung. Staatliche Kunsthalle Baden-Baden, Baden-Baden

1969
Künstlerbund Baden-Württemberg, 15. Jahresausstellung, Badischer Kunstverein, Karlsruhe
Kunst aus Südbaden. Badischer Kunstverein, Karlsruhe

1970
Künstlerbund Baden-Württemberg, 16. Jahresausstellung, Ulmer Museum, Ulm

1988
Collagen. Städtische Galerie „Die Fähre", Saulgau
Vorbilder. Kunst in Karlsruhe 1950 bis 1988. Badischer Kunstverein, Karlsruhe

1989
Bild und Lichtbild. Städtische Galerie „Die Fähre", Saulgau

1990
Kleine Formate, galerie pro arte, Freiburg i. Br.

1991
Kunst im E-Werk. Hallen für Kunst, Freiburg i. Br.

1992
Die Kunst der frühen Jahre. Freiburg 1945-60. Museum für Neue Kunst, Freiburg i. Br.

Bilder aus Südbaden. IHK Südlicher Oberrhein, Freiburg i. Br.
Staatliche Akademie der Bildenden Künste. Lithographien von 1895-1991, Karlsruhe 1992

1993
Art Frankfurt. Frankfurt a. M.
Art Cologne. Köln
Kunstförderung des Landes Baden-Württemberg. Erwerbungen 1989 bis 1992. Städtisches Kunstmuseum Singen, Singen

1994
Art Frankfurt, Frankfurt am Main
Art Cologne, Köln
Kleine Formate, galerie pro arte, Freiburg i. Br.
Kunstförderung des Landes Baden-Württemberg. Erwerbungen 1989 bis 1992. Kulturverein Zehntscheuer Rottenburg am Neckar, Rottenburg a. N.

1995
10 Jahre Galerie Linda Treiber. Galerie Linda Treiber, Ettenheimmünster
Impuls Südwest. Kunst der 60er Jahre in Baden-Württemberg. Staatliche Kunsthalle Karlsruhe, Karlsruhe

1996
Art Strasbourg, Strasbourg
Kunst im E-Werk. Hallen für Kunst, Freiburg i. Br.
Galerie Rolf Ohse, Bremen
Kleine Formate, galerie pro arte, Freiburg i. Br.
Rückblick. Einblick. Ausblick. Galerie Linda Treiber, Ettenheimmünster
Künstlerbund Baden-Württemberg. 42. Jahresausstellung. Ulmer Museum, Ulm

1997
Kleine Formate. Künstlerbund Baden-Württemberg. 43. Jahresausstellung, Spendhaus und Kunstverein, Reutlingen
Kunstverein Kirchzarten, Kirchzarten
1947-1997. 50 Jahre ‚Fähre Saulgau'. Positionen. Städtische Galerie ‚Die Fähre', Saulgau
Frei-Raum 1. Galerie Linda Treiber, Ettenheimmünster zu Gast in Basel, Basel

1998
Aus den Beständen der Galerie. Galerie Fahlbusch, Mannheim
Tonspur. Zu den Bildern der Sammlung. Museum für Neue Kunst. Freiburg
Künstlerbund Baden-Württemberg. 44. Jahresausstellung, Mannheimer Kunstverein, Mannheim
Städt. Galerie Villa Aichele, Lörrach
Kleine Formate, galerie pro arte, Freiburg i. Br.

1999
Mit unseren Künstlern ins nächste Jahrtausend. galerie pro arte, Freiburg i. Br.

2000
Collagen. galerie pro arte, Freiburg i. Br.

75 Nach Ausst. Kat. Vorbilder. Kunst in Karlsruhe 1950-1988. Karlsruhe 1988, S. 116. Jäger verneinte, in der Gruppe gewesen zu sein. Willy Kümpel, Studienkollege bei Goebel, mag die Ausstellungsteilnahme 1949 für ihn arrangiert haben. In: "Junge Gruppe Baden. Eine neue, ausdrucksvolle Ausstellung im Badischen Kunstverein". Badische Neueste Nachrichten, Karlsruhe, 21. 3. 1949, S. 4, (Otto Gillen): "Der noch in russischer Kriegsgefangenschaft befindliche Albert Jäger erweist sich in seinen wenigen ausgestellten Arbeiten als ein eigenständiger Künstler, dessen Originalität besonders in dem `Stilleben´ deutlich wird." Zur Einführung sprach Willy Kiwitz von 25 Mitgliedern der Gruppe und vier Gästen.

76 Frdl. Mitteilung von Friederike Klatt. Geschäftsführerin des Künstlerbundes Baden-Württemberg vom 29. 11. 1999.

77 Wolfgang Heidenreich: Ein Preis für Berts Blues: In: Baden-Württemberg 2, 1995, S. 35: "Wir fuhren damals nach Kassel zur DOCUMENTA III und starrten.. auf die noch feuchten Lavaströme aus Farben, die ein Karel Appel.. in einer einzigen Nacht, nämlich vom 26. auf den 27. Juni 1964, auf eine Holzfläche von 6 Metern 80 auf 2 Meter 70 ausgespieen hatte. Und wir hielten den Atem an vor den riesigen, variabel montierten und mit Farbüberfällen bedeckten Wänden des Emilio Vedova.." Zu Appel gibt es allenfalls in dessen Collagen der Zeit um 1961 Bezugspunkte.

78 Der Ausstellungsprospekt der Galerie Ohse, Bremen 1991, nennt für 1992 eine Planung für die Galerie Birgit Terbrüggen. Heidelberg. Nach Auskunft von Birgit Terlinden. Wehr/Südbaden vom 22. 9. 2000 fand die Ausstellung aufgrund von Terminüberschneidungen nicht statt.

79 Im Ausstellungsverzeichnis der Einladung zur Einzelausstellung im Freiburger Kunstverein 1964 sind Ausstellungen in Paris verzeichnet, die nicht aufgefunden werden konnten, ebenso Gruppenausstellungen in Karlsruhe und Leverkusen. Bis auf die Ausstellung 1949 konnte für Karlsruhe im Archiv des Badischen Kunstvereins, GLA 69/ 1999128 1-6o, nichts aufgefunden werden.

80 Der Ausst. Kat. Bert Jäger. Freiburg 1994, o. S., nennt hierfür Stuttgart. Dort nicht nachweisbar.

81 Ausst. Kat. Bert Jäger 1961-1964. Freiburg i. Br. 1986, S. 66 nennt Stuttgart, ebenso Ausst. Kat. der Retrospektive Freiburg i. Br.1994, o. S.

82 Der Ausst. Kat., Karlsruhe 1965, S. 118, nennt auch Oslo als Ausstellungsort.

Literatur

1. Ausstellungskataloge

Freie Gruppe Oberrhein. Kunstverein Freiburg, Freiburg i. Br. 1954

Künstlerbund Baden-Württemberg, 5. JA, Mannheim 1958

réalité. Kunstverein Freiburg, Freiburg i. Br. 1958

Bert Jäger. Kunstverein Freiburg, Freiburg i. Br. 1961

Bert Jäger. Galleria XXII Marzo, Venedig 1962

Premio Marzotto - Zeitgenössische Kunst in der europäischen Gemeinschaft, Valdagno 1962

Künstlerbund Baden-Württemberg, 9. JA, Heidelberg 1963

Künstlerbund Baden-Württemberg. 10. JA, Stuttgart 1964

Bild und Bühne. Staatliche Kunsthalle Baden-Baden, Baden-Baden 1965

Gesellschaft der Freunde Junger Kunst. 10. JA.
Staatliche Kunsthalle Baden-Baden, Baden-Baden 1965

Künstlerbund Baden-Württemberg, 11. JA, Karlsruhe 1965

Künstlerbund Baden-Württemberg. 13. JA, Baden-Baden 1967

Gesellschaft der Freunde Junger Kunst. 12. JA. Staatliche Kunsthalle Baden-Baden, Baden-Baden 1968

Künstlerbund Baden-Württemberg, 14. JA, Stuttgart 1968

Künstlerbund Baden-Württemberg, 15. JA, Karlsruhe 1969

Künstlerbund Baden-Württemberg. 16. JA, Ulm 1970

Bert Jäger. Bilder 1961-1964. Museum für Neue Kunst, Freiburg i. Br. 1986. Mit einem Vorwort von Jochen Ludwig und einem Beitrag von Margarita Jonietz

40 Jahre Städtische Galerie "Die Fähre" 1947-1987, Saulgau 1987
Vorbilder. Kunst in Karlsruhe 1950-1988. Badischer Kunstverein, Karlsruhe 1988

Collagen. Städtische Galerie "Die Fähre", Saulgau 1988.

Lithographien von 1895-1991. Staatliche Akademie der Bildenden Künste. Karlsruhe 1992 (o. S. , Nr. 138)
Bert Jäger. Malerei 1988-1991. Mit Texten von Wolfgang Heidenreich und Eva-Maria Schumann-Bacia. galerie pro arte, Freiburg i. Br. 1992
Bert Jäger. Malerei 1988-1991. Galerie Wolf, Düsseldorf 1993

Die Kunst der frühen Jahre. Freiburg 1945-1960. Hrsg. von Jochen Ludwig, Freiburg i. Br. 1992

Bilder aus Südbaden. Kunstsammlung der Industrie- und Handelskammer Südlicher Oberrhein, Freiburg i. Br. 1992

Kunstförderung des Landes Baden-Württemberg. Erwerbungen 1989 bis 1992, Singen 1993

Bert Jäger. Retrospektive 1940-1994. Mit einem Beitrag von Stefan Berg und einem Werkverzeichnis von Bert Jäger, R. und M. Wolpert, Freiburg i. Br. 1994

Impuls Südwest. Kunst der 60er Jahre in Baden-Württemberg. Staatliche Kunsthalle Karlsruhe, Karlsruhe 1995

Künstlerbund Baden-Württemberg. 42. JA, Ulm 1996

Kunst im E-Werk, Freiburg i. Br. 1996

Künstlerbund Baden-Württemberg. 43. JA, Reutlingen 1997

Kunstförderung des Landes Baden-Württemberg. Erwerbungen 1993 bis 1996, Karlsruhe 1998, S. 438, Abb. S. 210. Nr. 1227, "Garlaban" (nicht ausgestellt)

Tonspur. Zu den Bildern der Sammlung. Museum für Neue Kunst, Freiburg 1998

2. Sonstige Veröffentlichungen:

Auswahlkatalog Bilder, Skulpturen, Objekte. Hrsg.: Jochen Ludwig. Museum für Neue Kunst, Freiburg i. Br. 1991

Volker Bauermeister: Bert Jäger. Bilder 1961-1964. In: Das Kunstwerk, 2, XL, Mai 1987, S. 79-80

Best. Kat. Neuerwerbungen für die Gemäldegalerie 1984-1994. Staatliche Kunsthalle Karlsruhe, Karlsruhe 1995, S. 60f

Gisela Geffers: Abschied von Bert Jäger. Freiburg i. Br. 1998. Mit Beiträgen von Wolfgang Heidenreich, Jochen Ludwig und Rolf Böhme

Wolfgang Heidenreich: Auf sich selbst zurückkommen. Notizen zur Wahrnehmung des Künstlers Bert Jäger. Ms., 7.4. 1989. Badisches Archiv. Staatliche Kunsthalle Karlsruhe, Karlsruhe

Wolfgang Heidenreich. Einladung. Neue Arbeiten 1988-1991. Galerie Rolf Ohse. Faltbroschüre, Bremen 1991

Wolfgang Heidenreich: Ein Preis für Berts Blues: In: Baden-Württemberg, 2, 1995, S. 35-37

Wolfgang Heidenreich: Laudatio. In: Stipendiaten der Kunststiftung Baden-Württemberg, Maria Ensle-Preis. Stuttgart 1994, S. 10-14
Wolfgang Heidenreich. In Memoriam Bert Jäger. In: Ausst. Kat. Künstlerbund Baden-Württemberg. Mannheim 1998, o. S.

Bert Jäger. Dankesrede. In: Stipendiaten der Kunststiftung Baden-Württemberg, Maria Ensle-Preis. Stuttgart 1994, S. 14-15

Jochen Ludwig: Einladung. Galerie Rolf Ohse, Arbeiten 1961-1964 und 1987. Faltbroschüre, Bremen 1988